BellaKa Plus

Perla Gizem

ISBN-10: 0-9998365-2-8
ISBN-13: 978-0-9998365-2-1

DEDICATORIA

*A esos insaciables de la lectura que
disfrutan y viven cada historia.*

CONTENIDO

RECONOCIMIENTOS

A todas esas personas que han compartido una y otra vez los anuncios de mis libros, sin saber que son cómplices de un sueño. ❤

1. LA PRIMERA VISITA

El taconeo de los zapatos de Julia era lo único que se escuchaba en la sala de espera. Permanecía cruzada de brazos, en una postura tensa, con la boca torcida y mirando directamente a la puerta del Doctor Graffé. Todo el que la ve concluye que se siente impaciente, pues probablemente lleva mucho tiempo esperando para ser atendida, pero Julia tan sólo lleva alrededor de diez minutos de espera.

Su tensión es en realidad evidencia de su permanente insatisfacción sexual. Había decidido hacer cita para ese día con el psicólogo, y cancelar las que tenía con Andrés y Milena, pues sabía que sólo iba a poder llegar a la que tenía con Ricardo. En ese momento el reloj marcaba las 5:47 pm, y concientizar que en ese momento podría estar revolcándose con Andrés, la colmaba de ansiedad y deseo.

Tratando de distraerse para mantener la cordura, comenzó a repasar la lista de amantes a demanda que poseía. Empezó recitando mentalmente por orden alfabético desde la letra "A", con Abel como primer contacto, pasando por Ana, Andrés y hasta Armando, hasta la letra "Z", con Zoe como único contacto con esa letra como inicial. Volvió a levantar la vista para evidenciar que tan sólo habían pasado 8 minutos desde la última vez que vio la hora.

Repasó de nuevo su lista, pero esta vez, siguiendo una de las múltiples categorizaciones en las que los había organizado: por las posiciones sexuales que cada uno ejecutaba con mayor habilidad. Para esto, imaginó distintas escenas sexuales con ella como protagonista, siendo acompañada por cada amante en su mejor posición. Resultó en un cortometraje imaginario en el que tenía sexo con 25 personas diferentes, y que estuvo repitiendo múltiples veces en su cabeza, abstraída.

Esa tarde había decidido acudir a terapia, en lugar de quedarse en casa para recibir a sus amantes, porque esta era la última opción con la que contaba para poder devolver su vida sexual a la normalidad. Desde hacía un mes, luego de sufrir un evento traumático teniendo sexo, Julia no había logrado volver a ser penetrada. A pesar de mojarse, excitarse, y desearlo, su vagina no permite que nada la atraviese, permaneciendo cerrada ante los múltiples intentos de sus amantes.

Fue la primera vez que volvió a tener sexo luego del trauma, que descubrió que algo no estaba saliendo bien. En esa oportunidad, culpó al hombre con el que estaba, pensando que él no sabía cómo hacerla disfrutar. Ese mismo día, estando en manos de otro hombre, pudo darse cuenta de que el problema realmente era ella misma.

El primer lugar al que acudió fue, por supuesto, al ginecólogo. "Vaginismo" le dijo el doctor apenas ella le relató su caso. Se le hizo revisión física en búsqueda de algún daño en la zona, pero no había ninguna. Ante la incredulidad de Julia, el doctor le explicó que su mal tenía un origen psicológico, y que era producto del trauma que había sufrido. La dejó con una lista de ejercicios vaginales para hacer, y con el contacto de un psicólogo que podría tratar su caso.

Inicialmente, ella pensó que podría lidiar con eso sola, y que probablemente la próxima vez que estuviera con alguien lo suficientemente bueno, lograría volver a ser penetrada sin ningún problema. Sin embargo, tras un mes de múltiples intentos frustrados, acabó teniendo una crisis en medio del vago intento de una joven muchacha por penetrarla con un pene de plástico. Julia, entre lágrimas y gritos desgarradores, intentó abrir su vagina con la fuerza de sus manos, haciendo fuerte presión en la pequeña abertura que su zona íntima todavía le permitía. La muchacha que la acompañaba, intentó calmarla abrazándola y tomando con cuidado sus manos, a lo que Julia respondió zafándose de ella y gritándole que se fuera para poder estar sola.

El resto de la noche lo pasó ahogada en llanto, intentando abrir su vagina aplicando fuerza con sus manos de diferentes formas. No logró nada más que lastimarse un poco la zona externa por lo que estaba intentando hacer. Justo después de rendirse, decidió optar por lo que para ella era su última alternativa: acudir al psicólogo. A la mañana siguiente, estaba haciendo su cita para esa misma semana.

Su rechazo inicial por la terapia psicológica se debe a que la psicología en general le parece un inmenso absurdo. El hecho de imaginarse a alguien yendo a contarle sus problemas a un desconocido con la esperanza de que este lo ayudara a superarlos, le parecía ridículo, y siempre fue algo que criticó fuertemente. En más de una ocasión expresó que quien acude a una terapia buscando ayuda, ha de ser alguien demasiado débil como para no poder encargarse de sus cosas solo. En el fondo le indignaba reconocerse, según su propio concepto, como una mujer débil.

Por otro lado, Julia está consciente de que la forma en la que lleva su vida sexual tiene mucho de cuestionable. Mantiene relaciones sexuales con un mínimo de 3 personas diferentes los días laborales, y con alrededor de 15 personas más cada día del fin de semana. Siempre evitó cualquier centro de salud mental porque sabía que ningún profesional lo pasaría por alto.

Julia sabía que era muy probable que su altísimo interés en el sexo podía ser diagnosticado como cualquier mal psicológico, pues reconocía que su situación tenía tintes patológicos. El entorno en el que había crecido le había inculcado un fuerte estigma hacia las enfermedades mentales, y temía tener que enfrentar el hecho de que tal vez ella no estaba exenta de cualquier tipo de trastorno. También sentía un enorme terror a la crítica de los otros, al igual que a la posibilidad de que la noticia corriera por el trabajo, y que fuera obligada a abandonar su empleo.

A pesar de ser capaz de reconocer que su situación no era normal, ella siempre prefirió ignorarlo, pensando que si todavía era capaz de llevar una vida como cualquier otra persona, entonces no sería nada de qué preocuparse. Por eso, desde que comenzó a reconocer que era diferente, Julia siempre orientó sus esfuerzos hacia la posibilidad de restarle importancia a su condición, tratando de construir una vida de mujer exitosa.

A sus 30 años era vice presidenta de mercadeo y comunicaciones de FEMSA en Caracas, Venezuela, vive sola en un cómodo apartamento ubicado en El Rosal, una de las urbanizaciones de mayor prestigio en todo el país, tiene un físico muy atractivo y conduce un Mini Cooper, cumpliendo así con el perfil de una mujer exitosa. Sin embargo, lo que más la llenaba de orgullo, era su larga lista de amantes de los que podía disponer, casi siempre, de forma plena.

Julia levantó la vista para volver a ver el reloj. Ya eran las 6:03 pm y su cita estaba pautada exactamente para las 6:00pm. Justo cuando el pequeño retraso ya iba a desesperarla, la puerta del consultorio del doctor se abrió, y la secretaria le solicitó que entrara.

El Dr. Graffé era un hombre alto y muy delgado, de cabello canoso, y con alrededor de 50 años, o al menos eso pudo calcularle Julia al presentarse antes de iniciar su consulta. La apariencia del psicólogo contrastaba mucho con la imagen de su paciente, quien contaba con una figura curvilínea muy marcada, más bien baja y con una apariencia juvenil que poco tenía que ver con su edad. Ella ocupó el respectivo diván, y el doctor, su asiento frente a él. La paciente acomodó sus piernas con cuidado, tratando de acomodar su falda tubo para que siguiera luciendo impecable, y él tomó un pequeño block de notas y un bolígrafo.

Antes de iniciar, el doctor le explicó que esta sesión sería más breve que las siguientes, pues en esta sólo intentaría esbozar su caso, para así poder comenzar a orientar la terapia hacia lo que ella necesitaría. Esto la alegró, pues significaba que podría salir de ahí más pronto de lo que esperaba.

- Entonces, Julia, ¿qué te trae a consulta?
- Doctor, me dijeron que esta sería la solución para mi caso de vaginismo. – Respondió ella, con un tono de voz que demostraba su incredulidad.
- Eso esperamos. ¿Te has hecho ya un estudio físico para asegurarte de que no se debe a cualquier mal corporal?
- Sí, fue mi ginecólogo quien me redirigió con usted, y también me ha mandado una serie de ejercicios que debo realizar.
- Entiendo, ¿los has estado realizando? – Preguntó él mientras bajaba la mirada hacia su block y hacía varias anotaciones.
- Sí, por supuesto. Nadie más que yo quiere terminar con esto rápido.
- Bueno, Julia, la terapia que estamos iniciando hoy es un trabajo que tomará cierto tiempo culminar. Aún desconozco la causa de tu vaginismo, pero lograr ese cambio físico a partir de una terapia psicológica va a requerir tiempo, paciencia y trabajo por parte de ambos.
- ¿Cómo cuánto tiempo? – Preguntó ella con una mirada severa.
- Cada caso es único y aún no conozco el tuyo. Podrías decirme, ¿desde cuándo notas los síntomas de vaginismo?
- Desde que sufrí abuso sexual. – Respondió ella sin demostrar ni la más pequeña emoción.
- ¿Hace cuánto sucedió?
- Hace más o menos un mes.
- ¿Cómo te sientes con lo que te sucedió?
- Frustrada por cómo ha complicado mi vida sexual. – La respuesta alarmó un poco al doctor, pero, como su formación le dictaba, no demostró ninguna emoción, y sólo hizo sus anotaciones
- Entiendo. – Continuó Graffé - ¿Cómo tú y tu pareja

manejan el tema del vaginismo? – Esta pregunta descolocó un poco a Julia. Sabía que su respuesta podría llamar la atención del psicólogo.

- No tengo una única pareja sexual. Actualmente hago lo que puedo con lo que tengo.
- ¿Y sientes que lo que tienes no es suficiente?
- Nunca ha sido suficiente, pero actualmente está mucho más lejos de serlo.
- ¿A qué te refieres con que nunca ha sido suficiente?
- Siempre termino queriendo más.
- Entiendo. – Respondió él, con una expresión inmutable.

El doctor terminó haciendo unas últimas anotaciones, y le explicó a Julia que para poder tratar su caso eficazmente debían verse al menos tres veces a la semana. Ella estuvo de acuerdo, pues su poder adquisitivo se lo permitía, y además, pensaba que más horas a la semana apresuraría mucho el proceso de curación. Se pusieron de acuerdo para los días y horas de las próximas citas, y terminaron despidiéndose hasta la próxima vez.

2. UN CUARTO DE DIVERSIONES

De vuelta en casa, Julia comprobó que tenía poco tiempo antes de que Ricardo llegara para la cita que habían pautado. Así que se apresuró a bañarse y a arreglarse para poder recibirlo, recordando que él solía ser uno de los amantes más puntuales con los que contaba hasta entonces, y esa era una de las cosas que más le gustaba de él.

A pesar del tedio que le producía la posibilidad de que alguna de sus parejas sexuales decidiera optar por intentar entablar una conversación post sexo, ella solía preferir hacer cita para encontrarse con ellas en su propia casa. Esto se debía, en parte, a que el hecho de que las personas se movilicen para ir a estar con ella le causaba cierto morbo. Julia se reconocía como una mujer sexualmente atractiva, y sabía que muchos querían estar con ella, pero el hecho de poder, de alguna forma, reconfirmar una posición por encima de sus amantes, le resultaba erótico. Pero, esto también tenía que ver con el cuarto dedicado al sexo que había construido en su departamento.

La habitación, de alrededor de 12 metros cuadrados, contaba con una cama tamaño *queen*, que solía estar cubierta por sábanas que seguían todos los colores de la escala de grises, y que estaba ubicada en el centro del espacio. En el techo, un espejo reflejaba la cama en su totalidad, mientras otro espejo, colocado en una de las paredes, reflejaba también una estantería que guardaba una gran colección de juguetes sexuales.

Desde que su poder adquisitivo pudo permitírselo, Julia comenzó a adquirir distintos artefactos para divertirse más en la cama. Contaba con una serie de dildos de diferentes tamaños, texturas y colores, con una colección de vibradores con distintas formas y velocidades, y también con unos cuantos juguetes que permitían explorar su lado dominante ante algún sumiso. La habitación contaba también con dos sistemas de iluminación distintos: uno con simple luz blanca, y otra con una luz roja que daba mayor espacio al juego erótico.

Pocas veces Julia elegía salir de su departamento acondicionado para el acto sexual, para ir a algún otro lugar con alguna de sus parejas. Solía hacerlo por razones de tiempo, de comodidad circunstancial, o porque existía la posibilidad de usar algún hotel de alta gama. La última vez que se atrevió a abandonar su guarida sexual, fue abusada por uno de sus amantes, desarrollando en consecuencia el vaginismo que tanto la hacía sufrir actualmente.

Julia se vistió utilizando una simple bata estampada de seda, bajo la cual permanecía totalmente desnuda. Sonó el intercomunicador de la torre, y era Ricardo, justo a tiempo y como de costumbre. Ella abrió la puerta utilizando un código telefónico, dejó la puerta abierta y fue a esperarlo acostada sobre la cama cubierta por sábanas negras. Generalmente ese tipo de bienvenidas solía ahorrar la cháchara, y eso le agradaba.

Al ver que la puerta del departamento no tenía seguro, Ricardo pudo saber que ella lo estaba esperando en su habitación erótica. En el camino hacia allá, y como ya ella lo había solicitado en veces anteriores, él comenzó a desvestirse, quedando así únicamente cubierto por su ropa interior al llegar al umbral del cuarto.

Apenas tras cruzar miradas, él se lanzó sobre ella, la despojó de la única tela que la cubría y comenzaron a besarse. Él sujetó su largo y rubio cabello con una mano y lo aseguró entre sus dedos, haciendo que ella soltara un suave suspiro de aprobación. Ella lo tomó por la barbilla, acercando con decisión sus labios, como si quisiera hundirse en ellos.

Cansada de permanecer abajo, y en contra de los deseos de él, Julia se alejó y se acomodó encima de su cuerpo, encontrándose así con el pene erecto. Lo sostuvo con su mano izquierda, y comenzó a acariciarlo con decisión, mientras lo veía a los ojos con la tan repetida mirada que ella sabía que resultaba erótica.

Lo que podía resultar como el encuentro más íntimo y personal dentro del acto sexual, que viene siendo encontrarse cara a cara con la persona con quien estás, resultaba un simple juego erótico más para Julia. La cara del otro que portaba la mirada y la expresión pasional, no era más que otro estímulo excitante. La posibilidad de entender que eso que se estaba cogiendo poseía una identidad no era algo de lo que ella pudiera disponer. No sólo porque le resultaba complicado, sino porque mitigaba su deseo.

En Ricardo sólo veía el típico patrón de un rostro que demuestra excitación. Los ojos un poco cerrados, las cejas ligeramente tensas sobre la mirada, y los labios lo suficientemente abiertos como para dejar asomar a los dientes ligeramente, ese era el rostro más o menos típico de un hombre que quería cogérsela. La forma y color de los ojos, cejas o boca del otro no importaban, mucho menos la combinación única de los mismos que ofrecía la posibilidad de reconocimiento del individuo.

Desvió la mirada del rostro para enfocarlo directamente en la erección que descansaba en medio de su mano. Acercó sus labios y la probó con cuidado, tanteando la textura con la punta de su lengua húmeda. Luego, cuando pudo detectar el deseo explosivo en su compañero a través de su respiración, se la metió entera en la boca. Una vez dentro, comenzó a acariciar suavemente la cabeza con su lengua, sintiendo así lo que a ella le resultaba muy particular de Ricardo.

A pesar de su imposibilidad para procesar la identidad de sus compañeros a través de los rostros, todas sus parejas sexuales tenían algún detalle físico que le resultaba particular para cada uno, y eso era algo que sí solía reconocer y recordar. En el caso de Ricardo, la cabeza resulta significativamente más grande que el resto del cuerpo de su pene. En las cavilaciones ociosas de Julia, ella solía pensarlo como "el que lo tiene cabezón".

La diferencia de tamaño era lo suficientemente marcada como para poder percibirla con su lengua, así que cuando estaba con él solía dedicar un poco de tiempo a jugar con esa parte de su cuerpo. Para mantener el pene erecto, movía sus labios con cuidado de arriba hacia abajo, acariciando y humedeciendo el resto de su pene. Pronto, él la retiró con cuidado, pues sabía que si ella continuaba, acabaría muy pronto. Inmediatamente, Julia se acostó sobre su espalda y extendió las piernas, dando así una señal que solicitaba recibir sexo oral.

En otras ocasiones, y antes de desarrollar su vaginismo, la posición tomada por ella significaría que estaba lista para iniciar la penetración. Sin embargo, ya todas sus parejas sexuales estaban al tanto de las nuevas reglas del juego, y sabían que la posibilidad de penetrarla estaba, al menos por ahora, fuera de las posibilidades.

Ricardo se inclinó ante su sexo implorante, y acarició toda su superficie con su lengua, percibiendo así lo mojada que se encontraba. Julia colocó sus manos tras la nuca de él para acercarlo, a lo que él metió sus labios y clítoris con cuidado en su boca, haciendo una suave succión, y logrando que se mojara cada vez más. Empezó a alternar suaves besos alrededor de la vagina, con pequeñas succiones del clítoris, haciéndola retorcerse del placer.

Recibir sexo oral le permitía a ella la posibilidad de abrir un pequeño espacio en sus ideas para pensar. Con Ricardo ahí, sólo podía recordar el lugar que ocupaba en la categoría de la mejor posición ejecutada, en la lista de sus amantes. Para ella, la mejor posición experimentada con él era de perrito, pero con una ligera variación: ambos permanecían de pie ante el borde de la cama, donde ella tendía la parte superior de su cuerpo.

Estando ahí, la cabeza de su pene podía acariciar con fuerza el interior de su vientre, ejerciendo una suave presión alrededor de su punto G. Recordar esta escena y pensar que no podía realizarla, la frustraba un poco.

Poco a poco, la excitación que sentía superó el bajo nivel de frustración que la había albergado. La sensación de la boca masculina probando y deleitándose con su sexo la encendía. El placer comenzó a correrle por todo el cuerpo, cada vez haciéndose más intenso, hasta que culminó en un fuerte y ruidoso orgasmo. Eso era lo que estaba deseando desde la última vez que había tenido uno esa mañana.

Sin tomar un momento para descansar, Julia se acostó de lado y juntó sus piernas con fuerza. Ricardo ya sabía de qué se trataba. Él se colocó detrás de ella, la sujetó por sus hombros, e introdujo su pene erecto en el pequeño espacio que la entrepierna y la vulva habían dejado para él, haciendo suaves movimientos que imitaban la penetración.

Ambos sentían como su pene se mojaba con la humedad del espacio, haciendo que se deslizara con mayor facilidad, y acariciando así toda la vulva. Las nalgas firmes de ella hacían un pequeño rebote al chocar con el vientre masculino, lo que producía una deleitable vista para él. Al mismo tiempo, la sensación del culo tibio rozando la base de su pene le resultaba muy excitante.

A pesar de que pudiera ser complicado, Ricardo sabía que no debía acabar antes de que ella lo hiciera una vez más, pues entonces perdería la erección y no podría seguir complaciéndola. Lo que estaban haciendo excitaba mucho a Julia, pero al mismo tiempo le hacía desear mucho más ser penetrada, y la impotencia que esto le generaba, la alejaba un poco de alcanzar el orgasmo, así que sabía que sería algo que tardaría un poco más.

Ambos se habían posicionado frente al espejo que estaba en la pared, quedando así frente a las repisas con los juguetes. Ella disfrutaba mucho ver su reflejo, poder admirar la caída y suave meneo de sus tetas, le encantaba. La pequeña curvatura que se hundía en su cintura y se llenaba en sus caderas, venía siendo la parte favorita de su cuerpo. Su propia mirada erótica, el cabello húmedo cayendo por sus hombros y su pequeña sonrisa morbosa, era su rostro excitado favorito.

La sensación de la cabeza acariciando su clítoris comenzó a llenarla de un placer insoportable y que crecía con cada movimiento. Ella llevó su mano hacia atrás, haciendo fuerza en una de las nalgas masculinas, tratando así de drenar la excitación que sentía. Comenzó a gemir, y cerró sus ojos para concentrar todos sus sentidos en lo que estaba sintiendo. Pocos segundos después, sintió la fuerza del orgasmo. Al darse cuenta de esto, Ricardo abandonó sus intentos por no acabar, mojando así las sábanas y las piernas de Julia.

Agotado por el orgasmo, y como era costumbre, Ricardo se dio la vuelta y se acostó boca arriba para descansar por un momento. Julia, como era también costumbre, se levantó y fue por uno de sus vibradores en la estantería. Tomó uno con forma acorazonada de silicón, que funcionaba con baterías, y volvió a la cama. Esta vez, se sentó al borde frente al espejo, separó sus piernas y admiró por un segundo la rojez de su sexo.

Tomó su vibrador e, intentando tentarse a sí misma, comenzó acariciándose desde la parte más baja de su vulva, para ir subiendo con lentitud hasta el pequeño espacio por encima de su clítoris. Repitió el recorrido alrededor de diez veces, hasta que pudo sentir como su clítoris se tensaba en señal de exigencia. Acercó el vibrador y, con suaves movimientos circulares, lo acarició sin aplicar mucha presión. Tras pocos segundos, alcanzó su tercer orgasmo de esa noche, y el quinto del día.

Ricardo ya había comenzado a recolectar su ropa y empezaba a vestirse. Julia tomó su bata y fue a abrirle la puerta para despedirlo. Momentos antes de salir, ambos se agradecieron por la velada que habían pasado, y acordaron verse la próxima semana el mismo día y a la misma hora, como venían haciendo desde hace tanto.

Julia cerró la puerta tras ella, buscó el mismo vibrador que había usado hace un momento, y fue hasta su cama, para disfrutar de un último orgasmo antes de irse a dormir.

3. SU ÚNICO "AMIGO"

A la mañana siguiente, Julia se despertó a las 5:00am. Se levantó, desayunó, se cepilló y se dispuso a esperar a Juan, el primer amante que veía en el día, y con quien había acordado encontrarse en casa a las 6:00am, y de ahí partir juntos al trabajo.

A diferencia de la mayoría de sus otras parejas sexuales, ella mantenía una relación de amistad con Juan, y compartían mucho tiempo juntos fuera de la cama, al ser compañeros de trabajo. Él trabajaba como su subordinado en el departamento de publicidad de la empresa, y lo que comenzó como una relación meramente profesional derivó en una también sexual.

Sus interacciones nunca llegaron a ser afectuosas, pues incluso tomaban el sexo como una actividad cotidiana que no necesitaba de ningún tipo de cariño. Juan tenía cinco años de casado con su esposa, quien nunca había sospechado del sexo semanal que su esposo tenía con la jefa. A Julia nunca le importó que él tuviera un compromiso con otra mujer, pues para ella tener sexo con otra persona sin sentimientos implicados no significaba una traición, y además, la posibilidad de formar parte de una infidelidad, no le iba ni le venía.

La amistad fuera de la cama era, sobre todas las cosas, profesional; aunque eventualmente alguna que otra broma se colaba en medio del discurso laboral, pero eso era todo. Juan le ofrecía a Julia la mayor relación de compañerismo que ella tenía actualmente. Ella contaba con ciertos compañeros provenientes del ámbito laboral y académico, pero con ninguno tenía esta suerte de relación.

En sus años de adolescencia, solía ser una persona de muchos amigos. Sin embargo, todas sus relaciones amistosas resultaban efímeras, pues ella nunca supo cómo mantener una relación interpersonal de verdaderas implicaciones a largo plazo. Tras meses de amistad con un par de muchachas que estudiaban con ella en la secundaria, Julia un buen día simplemente detuvo su trato hacia ellas. Ellas se sintieron directamente ofendidas, pero no era personal: su amiga no sabía cómo manipular sus afectos hacia terceras personas, así que lo más sencillo era abandonarlos. Su ligera y superficial amistad con Juan resultaba cómoda y oportuna.

A las 6:06am, recibió una llamada por el intercomunicador. En esta ocasión, y debido a la relación que tenía con el hombre con el que estaba a punto de acostarse, Julia esperó por su compañero desnuda ante la puerta de entrada del apartamento. El timbre sonó, y ella abrió con una clara mirada erótica.

- Estos sí son buenos días. – Dijo él, sonriendo.
- Seguro que mejores que los que te da tu esposa.
- Todo lo que tu cuerpo desnudo me ofrece es mejor que lo que me da mi esposa.

Y tras haber terminado de decir esa frase, Julia se le acercó lentamente y lo besó. Acto seguido, y sin dirigirle la mirada, se fue caminando hacia la habitación con un suave meneo de caderas, que el hombre se vio obligado a perseguir. El cabello rubio bailaba de un lado al otro sobre su espalda desnuda, siguiendo el compás del resto de su cuerpo.

La habitación estaba deshecha, pues ella había olvidado hacerse cargo la noche anterior. La desnudez femenina fue suficiente para que Juan ignorara las huellas del último polvo de su jefa. De inmediato comenzaron a besarse pegados contra la pared, haciendo un esfuerzo porque los labios de ella pudieran alcanzar los de él.

Primero la tomó por el cuello, haciendo una suave presión que sabía que a ella le encantaba, y luego comenzó a deslizar sus manos hacia las tetas, llenándose toda la palma con su calidez. Las palpó con determinación, como si el tacto fuera el único sentido que tuviera para descubrirlas.

Julia lo tomó por la cintura y comenzó a caminar con él hasta la cama, lanzándolo con fuerza hacia el colchón. Ahí, ambos se turnaron para hacerse sexo oral mutuamente, con algunos momentos en los que hacían un 69. Como siempre, ella acabó alrededor de 3 veces, y no fue hasta el aviso del tercer orgasmo que Juan tuvo permiso y posibilidad de tener el primero y único de su día.

Luego de que él pudiera tomarse un pequeño descanso, ambos entraron a ducharse juntos, con una expresión actitud similar a la que se tiene cuando se está haciendo una diligencia. Julia estaba muy acostumbrada a compartir su desnudez con terceras personas con quienes no mantenía ninguna relación íntima, y también estaba muy cómoda con tener a los otros completamente desnudos en su presencia.

- ¿Cuándo vamos a poder volver a tener sexo? – Preguntó Juan cuando estaban abandonando la regadera.
- No estoy segura, ayer comencé a ir a terapia para resolverlo. – Al oír esto, él ahogó una carcajada.
- No sé qué dirá un psicólogo de ti. – Comentó él ante la mirada curiosa de ella. – Evidentemente querrá curarte primero de tu ninfomanía antes que de tu vaginismo.

Julia no respondió nada. Ella ya sabía que su alto interés en el sexo podía resultar patológico, pero el hecho de recordar que esto contaba con ese nombre oficial, la hacía sentirse como una persona enferma, recordando el estigma que esto generaba. La primera vez que alguien usó la palabra "ninfómana" en su contra, tenía alrededor de 14 años. Nunca antes había conocido ese término, y mucho menos lo que significaba. Más adelante, pudo ver que era un nombre que describía bastante bien su manejo de la sexualidad, y también descubrió que era una especie de enfermedad mental.

El día siguió con mucha normalidad. Ambos se fueron juntos a la empresa en el auto de Julia, pues Juan había ido hasta su casa utilizando el transporte público. En el trabajo realizaron las labores con la misma serenidad con la que lo habrían hecho si no se hubieran acostado juntos. En la oficina, ella ejercía un rol tan impersonal y demandante sobre él que nadie nunca podría sospechar de sus encuentros sexuales matutinos.

A las 5:00pm, Julia salió del trabajo directo a casa, para ahí empezar con su serie sexual correspondiente para esa noche: Manuel, Gregorio y Laura. Como todos los días de su vida desde hacía alrededor de 6 años, ella seguía la misma rutina una y otra vez. Sus mañanas empezaban con al menos tres orgasmos de la mano del amante correspondiente, de ahí partía a trabajar, y luego, al volver a casa, contaba con tres citas con tres personas diferentes.

En su época como estudiante, podía tener más sexo durante los días de clase. Siempre se organizaba perfectamente para poder aprovechar al máximo sus horas de estudio, dejando espacio suficiente para encontrarse con alrededor de siete amantes distintos en un mismo día. Para aquella época Julia mantuvo un par de relaciones amorosas, pero todas terminaban debido a su imposibilidad de formar lazos duraderos, y a la imposibilidad de ellos de satisfacer sus deseos sexuales.

Para esos momentos ella no contaba con casa propia, así que no tenía su cuarto perfectamente condicionado para tener sexo. Generalmente contaba con suerte, pues la mayoría de las personas elegidas vivían solos en departamentos pequeños estudiantiles, y cuando este no era el caso, solían esperar a que algún aula de la Universidad se quedara vacía.

A las 10:00pm, Julia ya estaba acostada en su cama a punto de quedarse dormida. El día siguiente sería un día ligero, pues su terapia programada ocuparía el espacio correspondiente a dos citas sexuales.

4. EL ORIGEN

La terapia comenzó a la hora pautada, ni un minuto más ni uno menos: 6:00pm. El doctor Graffé la recibió de nuevo en su diván con amabilidad y cordialidad. Julia se acomodó en su asiento respectivo y puso la falda en su lugar.

- Bueno, Julia, quisiera que comenzáramos hablando sobre tu vida sexual desde sus inicios. Tú puedes sentirme cómoda hablando al respecto, y yo sólo escucharé con atención lo que dices.
    - ¿Y por dónde debo comenzar? – Preguntó ella luego de una incómoda pausa.
    - Por lo que tú consideres el inicio de tu vida sexual.

Esto llevó a Julia a esculcar en el profundo espiral que era su memoria, tratando de localizar el primer recuerdo respecto a su vida sexual. Su punto de partida para comenzar a retroceder en el tiempo, fue la primera vez que tuvo sexo, sin embargo, sabía que el punto de inicio estaba mucho más atrás.

- Podría decir que fue la primera vez que descubrí que tocarme los genitales me hacía sentir bien…. Tendría yo alrededor de ocho años.
    - ¿Cómo sucedió eso?
    - Estaba bañándome. Recuerdo que era de las primeras veces en las que se me permitía bañarme sola. El hecho de estar por fin completamente sola con mi cuerpo desnudo me gustaba, me hacía sentir como una niña grande. En medio de mi emoción, comencé a tocar varias partes de mi cuerpo, supongo que a modo de reconocimiento y total apreciación de mi breve momento de libertad…. comencé tocando mis muslos por la parte trasera, que en esa época eran bastante delgados, y poco a poco comencé a ascender hasta llegar a mis nalgas. Recuerdo que tomé cada una con cada mano, como si intentara pesarlas usando mis palmas como balanza. – Hizo una pequeña pausa para intentar traer más detalles al presente.

— Y luego empecé a apretarlas con cuidado, y esa sensación me agradó. Luego pasé mis manos hacia adelante, acariciando mis caderas mientras pasaba, hasta llegar a mi vulva. Al inicio, toqué con un solo dedo toda su superficie, como si dibujara una línea recta sobre ella, y repetí varias veces. Luego junté tres de mis dedos, y repetí el mismo dibujo, sólo que esta vez hice una pequeña presión, y ahí pude sentir más que mis pequeños labios vaginales…. Todo esto mientras el agua tibia me corría por la espalda y el cabello.

- ¿ Y te parecía una sensación placentera en ese momento?

- Sí, mucho. Cuando sentí todo lo que había entre mis piernas, comencé a acariciarme con cuidado, y mis caricias me daban placer. En ese momento no sabía que mis genitales servían para algo más que ir al baño, mucho menos que podrían hacerme sentir bien. Recuerdo que desde ese día, siempre que me bañaba me tomaba un momento para tocarme…. Una vez la mujer que cuidaba de mi entro al baño de improvisto y me descubrió. No me dijo nada, solo se sonrió con ternura y me dejó sola.

- ¿Cómo era tu relación con esta mujer?

- No lo sé. Era necesaria. Ahora mismo la veo como mi única posibilidad de estar viva. Quiero decir, ella siempre cuidó de mí y se encargó de mantenerme sana. En cada uno de mis cumpleaños me acuerdo de ella, creo que en lugar de felicitarme a mí por ser un año mayor, deberían felicitarla a ella por haberse ocupado de que yo viviera un año tras otro.

- ¿Describirías esa relación de otra forma además de "necesaria"?

- Creo que no. Nunca sentí que ella fuera demasiado afectuosa conmigo, de hecho, siempre entendí que ella no me quería. Sin embargo, fue hasta que crecí un poco más que entendí que todo lo que hacía por mí lo hacía para poder ganar dinero. Entendí que para poder mantenerse con vida ella, debía mantenerme con vida a mí. Ahí gran parte de la ayuda que me dio durante mi infancia perdió un gran sentido para mí.

- ¿Qué sentido le habías dado?

- Creo que era un sentido de resignación. Pensaba que, por

alguna razón, ella estaba obligada a hacer eso, pues mis padres no podían.

- ¿Y cómo te sentías pensando que ella estaba obligada a cuidarte?

- Creo que tranquila. A ese punto me parecía justo.

- ¿Y por qué tus padres no podían hacer lo que ella hacía?

- Solían estar muy ocupados. Trabajando o saliendo con amigos.

- ¿Cómo te sentías con eso?

- No puedo decir que me sentía mal, pero tampoco puedo decir que bien. Lo que sucede es que yo nunca supe de qué me estaba perdiendo, pues nunca tuve una figura de padres que cuidara de mí. Creo que sólo acepté que mis padres no estaban, y viví tranquila con eso.

- ¿La mujer que cuidaba de ti estuvo contigo desde que naciste?

- Alesia, se llamaba. Y no, durante mi primer par de años de vida me cuidó mi abuela materna, pero ni siquiera tengo un recuerdo de ella... Aunque Alesia me contaba que mi abuela me quería mucho. A decir verdad, no estoy muy segura de si ella realmente había convivido conmigo y mi abuela como para saberlo. A día de hoy creo que lo más probable es que ella me haya dicho eso sólo para hacerme sentir querida.

- ¿Y cómo te sientes con eso?

- Tranquila. Si yo tuviera un trabajo cuidando a una niña que no quiero, creo que también le habría hecho creer que alguien más la quería.

- Entiendo... volvamos a la pregunta inicial ¿cómo recuerdas que siguió evolucionando tu sexualidad?

- Recuerdo que me mantuve tocándome en la ducha durante el resto de mi infancia. Poco a poco fui descubriendo qué me gustaba sentir. Un par de años después comencé a experimentar fuera de la ducha, entonces me veías frotándome juguetes de diferentes texturas, cubiertos y objetos, por encima de mis genitales vestidos. Me gustaba. Recuerdo que pasaba mucho tiempo buscando cosas nuevas para sentir, y eso me divertía más que cualquier juego.

- ¿Cómo percibías esa actividad en ese momento?, ¿qué significaba para ti?

- No lo tengo muy claro, pero lo veía como algo muy mío. Quiero decir, sentía que eso era algo único en mí, era mi secreto.

- Y en esta época, ¿qué rol tenían tus padres o Alesia?, ¿qué papel jugaban?

- Alesia siguió cuidando de mí, y mis padres seguían en lo suyo. No hubo mucha novedad.

- Entiendo… ¿y luego qué más sucedió?

- Bueno, luego llegó mi etapa de la pubertad, y ahí mi vida cambió un poco. Alrededor de mis doce años, Alesia dejó de trabajar conmigo, así que, aunque mis padres comenzaron a involucrarse un poco más en mi crianza, básicamente comencé a valerme mucho por mí misma.

- ¿Cómo te valías por ti misma?

- No necesitaba que mis padres me hicieran transporte para ir o venir de la escuela. En casa siempre había comida lista en la nevera, así que me alimentaba fácilmente. Hacía mi tarea sola, lavaba mi ropa y organizaba mi habitación. Incluso, cuando tuve mi menarquía fui sola a comprar mis toallas sanitarias. Mi madre se enteró de que ya me había desarrollado meses después.

- ¿Y cómo se desarrolló tu sexualidad durante esta época?

- Pues mi forma de relacionarme con mi cuerpo no cambió demasiado, sólo que comencé a comprender un poco más de qué se trataba ello. Quiero decir, comprendí por fin que mis genitales también eran órganos sexuales y entendí por fin porque me gustaba tanto toquetearme.

- ¿Cómo lo descubriste?

- Fue en una charla que nos dieron en la escuela. Recuerdo que fue un sexólogo y nos enseñó varias cosas. Entre ellas, nos explicó un poco sobre la función sexual de nuestros genitales, cómo poner un condón… en medio del discurso explicó que existía algo como la masturbación y mencionó muy sutilmente cómo se realizaba. Ahí vi que lo que yo tenía como un preciado secreto que consideraba muy particular, era en realidad algo de conocimiento público, pero del que pocos hablaban en voz alta…. Recuerdo que también explicó el concepto del "orgasmo" como la culminación y la última satisfacción del deseo sexual.

- ¿Nunca habías sentido algo como un orgasmo?
- No lo recuerdo, creo que no. Tal vez sí, pero en mi mente infantil no le di mucha importancia, y por lo tanto no lo recuerdo.
- ¿Recuerdas cuándo tuviste tu primer orgasmo?
- Sí, claro. Esa misma tarde llegué a casa con esa intención, sobre todo porque en esa misma charla, el sexólogo habló sobre el clítoris, y yo quería descubrir como la estimulación de éste me haría sentir. En ese trozo de la charla presté completa y total atención, tratando de absorber la mayor cantidad de información. Él lo presentaba como la mayor posibilidad de obtener un orgasmo, y eso era lo que yo quería: esa satisfacción última. Con mi nueva información, me acosté en mi cama mirando hacia arriba, levanté mi falda colegial, me quité la panti y, con la ayuda de un espejo, conseguí y acaricié mi clítoris. Inicialmente no sabía muy bien qué estaba haciendo, así que comencé con movimientos torpes, pero pronto comencé a descubrir lo que me gustaba: movimientos circulares en el sentido de las agujas del reloj. Tras unos ocho minutos, finalmente tuve mi primer orgasmo.

- ¿Y cómo te sentiste?
- Defraudada. Se me había vendido esa experiencia como la última satisfacción, pero para mí no lo fue. Cuando terminó quería otro, y otro, y otro, y otro.
- ¿Por qué crees que fue así?
- No lo tengo claro, pero siempre ha sido así. Con el tiempo entendí que mi cuerpo siempre había tendido a la búsqueda de la satisfacción física, y que, para mí, eso que para otros era la cumbre, no era lo suficientemente alto. A veces me imagino a mí misma escalando una alta montaña en búsqueda de la cumbre que promete por fin la satisfacción, llevo toda mi vida subiendo, y todavía no logro saber qué tan alta está la cima, y mucho menos cuando la voy a alcanzar.

- ¿Te preocupa no encontrarla?

- Un poco, sí. En mi vida cotidiana me preocupa más mi forma de orientar esa búsqueda que la posibilidad de encontrarla. Pero a veces, cuando todas mis preocupaciones diarias me dejan espacio, me permito preocuparme por mi imposibilidad de satisfacerme.

- Entiendo... ¿cómo orientas esa búsqueda en tu vida cotidiana?

- Pues de la forma más intuitiva: tengo sexo.

- ¿Cómo describirías tu vida sexual actualmente?

- Yo diría que es buena, la verdad es la parte de mi vida que más me gusta, es a lo que realmente quisiera dedicarme si la vida en sociedad no me lo prohibiera.

- ¿Tienes un novio con quién la compartes?

- No. A mí el concepto de la relación monógama nunca me ha funcionado. La comparto con las personas que la quieran compartir conmigo también, eso es todo.

- Entiendo... bueno, Julia, la sesión de hoy ha sido muy interesante, pero ya estamos sobre la hora. La próxima vez quisiera que discutiéramos un poco más sobre tu percepción de las relaciones monógamas.

- Está bien doctor, muchas gracias.

A la salida de la consulta, Julia se montó apresurada en su auto, pues también estaba sobre la hora para su cita en casa con Manuela.

5. LA SIGUIENTE

A su llegada a casa, pasó exactamente lo que no quería que sucediera: se encontró con Manuela en la entrada del edificio. Ese tipo de interacciones que requerían llevar una charla casual hasta llegar a la habitación donde acabarían teniendo sexo la abrumaban. Se saludaron con cordialidad y avanzaron hacia el lobby del edificio para esperar el ascensor. Julia vivía en un piso diez, así que tomaría bastante tiempo llegar hasta allá.

Manuela era una muchacha ocho años más joven que Julia. Se habían conocido en una discoteca hacía un par de años, y desde entonces se veían eventualmente para mantener relaciones sexuales. Era una estudiante universitaria de baja estatura, delgada, de cabello corto y negro. A pesar de que su cuerpo no resultaba precisamente voluptuoso, tenía un rostro hermoso que la hacía muy atractiva.

En sus primeros encuentros sexuales con Julia, Manuela tenía una proyección muy distinta de lo que sería su relación. Para ella, esos polvos casuales serían el principio de una relación romántica formal, así que, inicialmente, se comportaba como tal: le mencionaba lo hermosa que le parecía, lo mucho que le gustaba estar con ella, y lo precioso que era su cuerpo. Inicialmente, Julia no le dio importancia a ello, y no fue hasta que Manuela tomó y acarició su mano entrando hacia el edificio, que ella decidió poner los puntos sobre las íes.

"Sólo quiero sexo. Si esperas algo más de mí no voy a poder dártelo" fue toda su explicación. Al principio, la joven se sintió un poco defraudada, pero lo mucho que le gustaba el sexo con Julia la mantuvo a su lado durante este par de años. Hubo una época en la que mantuvo una relación amorosa que duró varios meses, y no estuvo con su amante mayor mientras duró. Apenas terminaron, la siguiente llamada telefónica que hizo fue a Julia, y esa misma noche ya estaban en la cama.

Tras una breve charla de "¿cómo estás?" y "¿qué tal la universidad?" ya estaban dentro de la habitación. Entraron con paso urgido, como dos bestias hambrientas, y se tiraron en la cama de un solo salto. Ambas tenían muchísimas ganas de estar juntas.

Estando acostadas, se besaron intensamente, como si quisieran probar las profundidades de la otra. Las manos de ambas comenzaron a pasear con cuidado sobre los cuerpos todavía vestidos, jugando a tentarse. De vez en cuando alguna levantaba un poco la camisa de la otra, pero no era más que parte de un juego inicial.

Pronto, Julia abrió el botón de los pantalones de Manuela con un solo movimiento. Esto hizo que ella se sonriera en medio del beso que aún se seguían dando. Comenzó a quitarse los pantalones con cuidado moviendo sus piernas, a lo que Julia acercó su mano a sus pantis, pudiendo sentir, a través de la tela, que estaba húmeda.

Manuela interrumpió el beso para quitarse la blusa que traía puesta, dejando al descubierto un sostén de encaje blanco, cuya transparencia permitía a los pezones asomarse ligeramente. Ante esta imagen, Julia se acercó y comenzó a acariciarlos con la punta de su lengua por encima de la tela. Esto hizo que Manuela suspirara suavemente. Julia se levantó y se quitó la ropa por sí sola, quedando también sólo con su ropa interior.

El cuerpo de ambas era bastante diferente. Por un lado, la joven universitaria tenía una figura pequeña, delgada y que podría resultar tierna. Sus senos apenas podían llenar la copa "A" de sostén, y tenían una forma ligeramente puntiaguda. Sus nalgas eran lisas y ligeramente redondas. Su piel era de una blancura tal que, en algunas esquinas de su cuerpo, como en los pies y el pecho, se podían visualizar algunas venas azuladas.

Su amante mayor, por su parte, tenía una figura voluptuosa,

curvilínea y carnosa. Sus senos alcanzaban la copa "C" de sostén y eran casi perfectamente esféricos. La redondez de sus nalgas era evidente, pues marcaban una curva fuerte desde el final de su espalda. La blancura de su piel no resulta comparable, pues ha pasado muchos años bronceándose bajo el sol, lo que la ha dejado permanentemente teñida.

Manuela ya había arrebatado el sostén de Julia, y se encontraba besando uno de sus senos, desde su primer levantamiento en el pecho, hasta el pequeño territorio del abdomen que cubría con su caída, teniendo especial cuidado con sus pezones erectos. Mientras tanto, su mano se paseaba por su vulva, acariciándola por encima de su ropa interior. La humedad era tan evidente, que podía sentirla en sus dedos.

De repente, la joven se alejó de Julia, y, sin quitar la mirada de sus ojos, metió sus dedos húmedos en la boca para probar su sabor. Ese arrebato de sensualidad encendió a su amante, quien se lanzó sobre ella sin ningún cuidado, la despojó de su ropa interior y comenzó a besar su clítoris vigorosamente. Manuela se dejó caer sobre la cama, posó sus manos en sus senos y comenzó a acariciarlos con cuidado.

Su entrepierna estaba húmeda y tibia, y con cada beso su temperatura aumentaba. La dirección de la boca comenzó a acercarse hacia el sur, pasando por la vagina, perineo, hasta llegar a meter su rostro entre las nalgas y probar lo que ambas escondían. Manuela soltó un suave gemido y sintió como sus ojos caían hacia atrás.

Julia pasaba de los besos ligeros a pequeñas succiones y caricias con su lengua, sintiendo como la joven se intentaba retorcer sobre las sábanas. Toda la escena la excitaba muchísimo, así que comenzó a masturbarse mientras lo hacía, siempre esforzándose por no perder el patrón de movimiento con su boca que a la jovencita tanto le gustaba.

Manuela gemía con fuerza. Julia, para acercarla a su primer orgasmo, volvió a subir con sus labios hasta el clítoris, pudiendo sentir que esta vez estaba mucho más húmeda que la primera vez que se acercó. Comenzó a besar alrededor del clítoris intensamente, pudiendo escuchar como la excitación de ambas crecía. Julia, quién no había parado de tocarse, se sentía próxima al clímax.

Pocos segundos después, los besos de Julia fueron suficientes para llevarla a un intenso orgasmo. Ella, al escucharla gimiendo y saber que se debía a los besos que le daba, no pudo aguantar mucho más, y acabó también poco después.

Manuela se tendió un momento sobre la cama. Sin embargo, Julia, que ya conocía cómo era tener sexo con ella, y que sabía que todavía quedaba fiesta luego del primer orgasmo, se levantó hacia su estantería de juguetes. De ahí tomó un dildo de silicón color púrpura, y un vibrador bala pequeño. Sin decir ninguna palabra, se acercó a la joven que descansaba, y acarició con la punta del juguete fálico uno de sus pezones. Ambas sonrieron.

Manuela se levantó, tomó el vibrador y lo acercó a la vulva de Julia. Luego lo acercó a sus labios, lo humedeció, lo encendió y comenzó a tocarla sutilmente con él. El pequeño juguete contaba con seis velocidades distintas, que variaban de las más suaves a las más intensas. Para tentarla, había elegido la más lenta entre todas, y con ella se paseaba, rodeando el clítoris y dibujando la entrada de su vagina como si de una pintura se tratara.

Julia lo disfrutaba, le gustaba sentirse provocada. Para jugar a lo mismo, tomó el dildo que había traído, lo humedeció con su boca y lo colocó sobre la vagina todavía húmeda, dándole pequeños toquecitos. Ante esta jugada, Manuela decidió aumentar la intensidad del vibrador, y acercarlo más directamente al clítoris.

Siguiendo su camino, el dildo comenzó a deslizarse con cuidado en el interior de la chica, tan sólo permitiendo la entrada de la punta, y luego retirándola. Pronto, la vagina comenzó a dilatarse, y casi sin querer, el juguete comenzó a penetrarla casi sin intentarlo. Manuela, entre gemidos, aumentó la velocidad del vibrador y afincó un poco más sobre el clítoris.

Ambas dirigieron la mirada al rostro de la otra, donde Julia pudo ver nuevamente el patrón de un rostro excitado. En la chica, el patrón contenía un elemento distinto al que podían tener los otros con los que se acostaba, y que era lo que destacaba de ella en su categoría de las mejores cosas de sus amantes: la ternura. Si se la miraba con cuidado, lo que inicialmente se presentaba como una expresión erótica, se deformaba en un delicado guiño de ternura. La convivencia de lo sexual y lo tierno en el rostro de la chica le provocaba un morbo tremendo.

Cuando volvió a dirigir su atención a la sensación en su entrepierna, Julia pudo darse cuenta de que estaba a punto de acabar. Comenzó a mover el dildo con mucha más intensidad dentro de Manuela, con movimientos curvos, haciendo que su excitación creciera. Las caricias del vibrador fueron demasiado intentas, por lo que Julia acabó rápidamente, y poco después, la tierna joven también lo hizo, volviendo a recostarse sobre las sábanas.

Mientras la chica descansaba, Julia volvió a utilizar el vibrador una vez más para permitirse otro orgasmo. Minutos después, ya la chica estaba saliendo del apartamento apresurada. Tenía un examen importante al día siguiente, y necesitaba descansar para poder aprobarlo.

Tras cerrar la puerta del apartamento, el celular comenzó a sonar desde adentro del cuarto donde acababa de tener sexo. Corrió a contestarlo, era Juan. Una vez que atendió la llamada, hubiera preferido simplemente no coger el teléfono.

6. ¡QUÉ PACIENTE!

Diego Graffé realiza las últimas revisiones a las anotaciones de sus pacientes antes de irse a dormir. Es tarde y está cansado, pero no puede pasar un día sin cumplir con su rutina de releer las notas de los pacientes citados para los días siguientes. En su profesión, no confundir a un paciente con otro, y mucho menos olvidar detalles de sus historias, es algo imperdonable. Muchos psicólogos, con los años, son capaces de manipular esa información con facilidad, pero él aún necesita apoyarse de estos repasos. No es olvidadizo, sólo meticuloso.

Los archivos de los pacientes poseen sus datos, anotaciones tomadas en consulta y comentarios que son añadidos posterior al encuentro con estos. Con el avance de las terapias, los archivos de un paciente pueden convertirse en un tomo de unas cincuenta hojas, y para evitarlo, cada cierto tiempo repasa y resume la información de cada paciente a nuevos archivos. No sólo por comodidad, sino también por organización.

De repente se detiene en una paciente particular: Julia León. Entre los comentarios añadidos a las notas incluye "evolución pobre de la dimensión emocional" y "búsqueda de intensa estimulación externa". Subrayó esta última frase con su bolígrafo negro, y luego se lo llevó a la boca para mordisquearlo mientras pensaba. Era muy pronto para decir algo como eso, pero le parecía que la terapia sería complicada.

Una cosa tenía clara: la chica es hipersexual. Hace varias noches atrás ya se había dedicado a repasar su bibliografía al respecto y tomó algunas notas para tenerlo claro. Las personas hipersexuales suelen serlo por motivos de represión durante la infancia, pero este no era el caso de su paciente, de hecho era todo lo contrario. Además, esta era una paciente particular, pues dentro de ella cohabitaban la adicción al sexo y el vaginismo. Por ahora, esta combinación no parecía tener sentido para él.

Por otro lado, el vaginismo, al menos de origen psicológico, suele ser el resultado de un trauma. Y si, el vaginismo de su paciente es producto de la agresión sexual que sufrió. Sin embargo, la afectación psicológica pareciera haberse dado a un nivel por debajo de la conciencia, pues ella continuaba teniendo sexo con regularidad y esforzándose por recuperarse del vaginismo. Esto demostraba que su adicción tenía un protagonismo que opacaba el trauma que había sufrido. Al menos a nivel consciente.

Tomó nota de esta conclusión, y devolvió el bolígrafo a su boca para continuar mordisqueándolo. Fuera la razón que fuera la que había hecho ser hipersexual, esta se mantenía muy presente y tenía un papel muy importante en la vida de ella aún a día de hoy. Resultaba también evidente que ella no veía ningún problema con su vida sexual, pues si no habría asistido a terapia por ello inicialmente, y esta normalización de su hipersexualidad podría complicar su tratamiento.

Termina de hacer las últimas revisiones a sus notas, las organiza de nuevo en orden alfabético en el archivero y va por fin a la cama. Ahí, Carmen, su pareja desde hace tres años y medio lo recibe con una suave caricia en la mejilla, a modo de saludo, él se la toma con cuidado y le planta un beso. Ella sonríe y se da la vuelta para continuar descansando.

Hace diez años, Diego se había divorciado de Judith, quien fue su esposa durante veintisiete años. De su unión nació un hijo, Tomás, quien actualmente tenía veinticinco años y vivía aún con su madre en la casa que en algún momento había pertenecido al matrimonio. Durante los últimos quince años de casados, su relación cayó en picada y cada día empeoraba más y más, por lo que, a pesar de haber intentado mantenerse a flote por el bien de su hijo, decidieron por fin separarse.

Durante esa época tan difícil para la pareja, Judith se encargó de formar una alianza con su hijo en contra del padre, y esto hizo mucho más difícil la convivencia en el hogar. Tomás desarrolló una actitud negativa y generalizada hacia la imagen de Diego en favor de su madre, a pesar de que éste siempre había sido un buen padre con él.

El divorcio abrió una brecha mucho más grande entre ambos, haciendo mucho más difícil su relación. Para intentar enmendarlo, Diego siempre se esforzaba por mantener contacto con su hijo y demostrarle un alto interés por sus actividades y gustos. Sin embargo, a pesar de los esfuerzos, todavía no conseguía poder ver a su hijo más de una vez a la semana, y a veces, ni siquiera eso.

La mala relación entre los padres, presume Diego, afectó mucho el desarrollo de su hijo, consiguiendo que fuera un joven con dificultad para los estudios, para el establecimiento de relaciones duraderas y equilibradas, y para manejar su ira. En múltiples ocasiones, y desde que comenzó a detectar el problema, Diego insistió en llevarlo a recibir ayuda psicológica, a lo que su madre siempre se negó, por parecerle innecesario.

Actualmente los problemas de su hijo se habían acentuado. Tenía veinticinco años y todavía no conseguía graduarse de la universidad, pues a lo largo de seis años, había cambiado de carrera universitaria en tres ocasiones. Comenzó estudiando economía, por ser la carrera de su madre, pero luego optó por cambiarse a artes plásticas, para luego decidirse por estudiar derecho.

No ha conseguido establecer ninguna relación de pareja medianamente estable a lo largo de su vida y nunca ha trabajado. Esto último se debe a que, en las pocas oportunidades que ha decidido buscar trabajo, ninguna de las empresas que lo llama para entrevista ha decidido contratarlo. Sin embargo, en una oportunidad, durante su adolescencia, y en uno de los intentos de su padre por ganarse el afecto de su hijo, lo contrató como recepcionista de su consultorio. Tomás sólo fue a trabajar dos días, y renunció al tercero.

En cierta forma, Diego siempre ha sentido que le bastaría un mínimo esfuerzo para perder a su hijo. Cualquier posible mal comentario o error podría significar el tan pronosticado final de su relación, y sabía que no podría tolerarlo. Amaba a su hijo, y a pesar de lo complicado que le resultaba mantener una relación tan desigual, no quería perderlo por completo. Además, sentía que le debía ese afecto y atención por la mala relación que había tenido con su madre y como esta lo había afectado.

Su relación con Carmen lo había alejado más aún de su hijo, sobre todo porque éste lo concebía como la última traición a la ya quebrantada familia. A pesar de que Diego siempre estableció los puestos de su hijo y de su pareja, sin beneficiar menos a ninguno a causa del otro, igualmente Tomás se tomó la nueva relación de su padre muy a pecho, dificultando más aún su relación.

Como es de imaginar, Carmen y Tomás no se soportaban. Inicialmente, Judith siempre se esforzó por construir una buena relación con el hijo de Diego, sobre todo para mantener la armonía de la pareja y poder darle una buena impresión, pero el muchacho siempre se mostró reacio a mantener cualquier tipo de contacto más allá de simplemente ser políticamente correcto, y con el tiempo todo derivó en interacciones incapaces de superar la mínima comunicación exigida.

Este problema también impactó negativamente la relación de la pareja, pues Diego se veía incapaz de combinar su relación de pareja actual con su papel de padre. Tomás no le reclamó nunca el por qué estaba con Judith, pero Carmen más de una vez le insistió sobre lo insano que resultaba su insistencia por forzar un afecto que su hijo no estaba dispuesto a darle. Esto complicaba mucho la relación, y en más de una ocasión, estuvo cerca de desvanecerla.

Diego se dio la vuelta en la cama, y vio a Carmen durmiendo de espaldas. Se acercó a ella y la abrazó con cariño. La posibilidad de establecer una relación de pareja, aunque accidentada, con una mujer que le parecía maravillosa, lo reconfortaba mucho, no sólo de su mala relación con su hijo, sino también de las amarguras del día a día.

7. EL ESTORBO

- Julia ¿podría quedarme en tu apartamento esta noche? — Decía Juan desde el otro lado del teléfono.
- ¡¿Por qué?! — Respondió ella atacada ante lo que se le estaba proponiendo.
- Mi esposa descubrió que tengo otra y me botó de la casa.
- ¿Sabe que tú y yo tenemos sexo?
- No, no sabe nada de ti. Se enteró de Valeria.
- Vale, pero… no creo que sea buena idea que vengas a mi casa. Es muy tarde, mi casa está lejos de la tuya, y es muy inseguro que tomes un taxi a esta hora. — Dijo ella a modo de excusa.
- No, tranquila, estoy aquí abajo.

Julia se dio una suave palmada en el rostro. "¡Coño!" fue lo primero que pasó por su mente. Ella era una mujer que disfrutaba mucho de su soledad y de la posibilidad de disfrutar del apartamento a sus anchas, y la quedada de Juan se lo impedía. Además, eso sugería el mantenimiento de al menos una conversación burda y cotidiana sobre lo que habían hecho durante el día, lo que para ella era un pesar. A pesar de ser muy capaz de rechazarlo, y en un soplo de bondad, decidió ayudarlo. "Está bien, toca el intercomunicador y te abriré la puerta".

Lo recibió en el apartamento con cara de perro, y tras verlo entrar con un bolso abarrotado de cosas, ya se había arrepentido de su decisión.

- Acabo de ver a una carajita muy linda saliendo del edificio, me imagino que estaba contigo. — Le dijo él en tono coqueto.
- Mira, Juan — comenzó Julia, exponiéndole la palma de su mano con firmeza — es tarde, tengo sueño, mañana me paro temprano y no quiero conversar pendejadas.
- ¿Quién es tu polvo de mañana y por qué no aprovechar

que estoy aquí y darme ese honor?

- Porque ya quedé con Carlos. Y como te he dicho, me quiero ir a dormir. Puedes utilizar el sofá-cama de la sala, ya has visto cómo funciona, yo me voy a dormir.

- ¿No puedo dormir en tu cuarto de Christian Grey?

- ¡No, ni lo pienses! – Y dicho esto, se fue a acostar de inmediato en la habitación.

El bolso que traía era una señal clara: la esposa de Juan lo había echado de casa por un buen tiempo. "Una infidelidad de tanto tiempo no se perdonaría en una sola noche" pensó ella. No quería que él se quedara por más de un día, sería demasiado insoportable. "Mañana le dejaré claro que no se puede quedar ni un minuto más" pensó, mientras cerraba sus ojos para, por fin, descansar.

- ¡Jefa! – Gritó de repente Juan desde la sala. Julia gruñó:

- ¡¿Qué?! – Le respondió también con un grito.

- ¡¿Mañana me despiertas para ir al trabajo?!

- ¡No, eso es tema tuyo!

- ¡Por favor, Cecilia me despertaba siempre!

- ¡Nadie te mandó a montar cachos y a hacerlo mal!

- ¡Por favor, Julia, despiértame! – Pero ella no emitió respuesta. Consideró que simplemente ya había dicho todo lo que tenía que decir.

- ¡Julia! – repitió él minutos después - ¡Julia, Julia, Julia!

- ¡Cállate! – Le respondió por fin. Lo único que se escuchó hasta que la alarma sonó, fue el frío silencio de la noche.

A la mañana siguiente, ella se levantó de golpe ante el primer ruido que emitió su despertador. Al salir de la habitación y ver a Juan roncando en el sofá decidió que definitivamente no lo despertaría para ir al trabajo. Fue a bañarse, y cuando ya estaba poniéndose lencería para recibir a Carlos, recibió un desalentador mensaje de texto: "Hola, guapa, no voy a poder ir ¿quedamos para la próxima semana?". Julia suspiró decepcionada. "Parece que si lo voy a despertar" pensó.

- Juan, vamos a coger. – Le dijo mientras lo agitaba por el hombro. – Párate, cepíllate y vamos a ello.

- Ya sabía yo que te ibas a arrepentir. – Le respondió él todavía adormecido.

Tras cuarenta y cinco minutos de sexo, ya ambos estaban desayunando, y pocos minutos después ya iban camino a la oficina.

Julia todavía se encontraba de muy mal humor con la estada de su amigo en casa. Haberlo despertado a tan temprana hora de la mañana para tener sexo le recordó a su último intento por mantener una relación de pareja monógama tradicional, y como esta fracasó. Había sido hace alrededor de seis años, cuando apenas se estaba mudando sola a su primer apartamento.

Era un muchacho que había conocido en la Universidad y con quien no había mantenido mucho contacto en su época de estudios, sino hasta que vinieron a coincidir en el trabajo. Para ese momento, ella trabajaba en el área de mercado de un banco de renombre en Venezuela, con un cargo no demasiado alto. La paga no era muy buena, pero con el dinero que este muchacho ganaba, ambos podían alquilar juntos un pequeño apartamento en Los Palos Grandes, una zona céntrica que les permitía llegar a su trabajo fácilmente sin necesidad de contar con un auto.

Tenían alrededor de seis meses de relación cuando dieron el paso de vivir juntos. Poco tiempo después, Julia no sólo confirmó que era muy poco tiempo para hacer algo como eso, sino que además el mantenimiento de ese tipo de relaciones le resultaba abrumador. Ella entendía que, debido a limitaciones físicas con las que ella no contaba, una sola persona no podía complacerla sexualmente como ella realmente necesitaba, y que además, las normas establecidas en la relación no le permitían acostarse con nadie más.

Inicialmente, Julia optó por contarle de esta situación a su pareja, y él le dijo que podía permitirle acostarse con unas cuantas personas más si así lo quería, mientras que fuera sólo sexo, y ella estuvo de acuerdo. Para esa época, no era demasiado organizada con sus citas sexuales, así que en ocasiones se le acumulaban sus amantes en la puerta del apartamento en una fila.

Su relación terminó un día en el que su novio llegó a casa y, tras darle un beso de saludo, uno de los sujetos que esperaba en fila le dijo que se formara para esperar su turno. La situación no era de su completo agrado, sin embargo, lo permitía para mantenerla feliz. Pero, cuando otro hombre quiso interponerse de esa forma en su relación con ella, se dio cuenta de que para él era inaguantable. Tras una breve discusión sobre lo ocurrido y el futuro de la casa, su novio se fue con todas sus cosas, y Julia permaneció en el apartamento teniendo sexo con el hombre que acababa de provocar su rompimiento.

Ese polvo le resultaba inolvidable, casi anecdótico. Duró alrededor de una hora y media, pues él era un hombre que no podía acabar fácilmente, lo que de hecho lo hacía muy atractivo a los ojos de Julia. Cuando estaban en alguna posición que no requiriera contacto visual, como cuando él la ponía en cuatro, ella aprovechaba para soltar unas pocas lágrimas. No lloraba precisamente por el rompimiento, sino porque sabía que al no contar con el dinero de su novio, debía mudarse de nuevo al apartamento de sus padres, donde no podía tener sexo con tanta libertad.

Sin embargo, y para su suerte, pocos meses después, ya había conseguido un puesto en FEMSA que le ofrecía el dinero suficiente para mudarse sola de nuevo, esta vez, sin una pareja. A pesar de que no hubiera sufrido por el rompimiento, Julia si había sentido cosas por su novio de aquél entonces, sólo que nunca se le pareció a lo que los otros describen como enamoramiento.

Ya Manuela se lo había contado una vez en medio de un polvo: "el enamoramiento es como un apego profundo, y unas ganas insaciables de acompañar al ser amado". Julia nunca había sentido nada semejante a eso, ni siquiera durante sus años de adolescencia, donde los enamoramientos ciegos son comunes. Lo más cercano a un enamoramiento que había sentido por otro era más bien una suerte de tierna camaradería con unos tintes de afecto. La única vez en la que llegó a cuestionarse si estaba enamorada, fue cuando su primer novio la tomó de la mano y ella se sintió ligeramente sonrojada, pues el resto de las veces sabía que eso no era ni una pizca de amor.

Para ella, eso se debía, sobre todo, a que concebía a los otros como seres totalmente dispensables. El concepto de individualidad y unicidad de los otros le parecía absurda. Siempre percibió a los otros como exactamente lo mismo, con más o menos ciertas variantes. No importaba que todos hubieran sido criados por padres diferentes, en situaciones distintas, en lugares lejanos: al final, todos eran casi lo mismo. Eso sí, ella podía percibir diferencias claras entre las personas de diferentes clases sociales, entendiendo como los diferentes factores económicos podían moldear grupos de personas medianamente diferenciables entre sí. "Pero si te los llevas a la cama, todos acaban siendo lo mismo" pensaba.

Por ello, y aunque contara con una categorización de amantes por su mejor talento sexual, percibía a todas las personas en su vida como reemplazables. No había ninguna diferencia entre la erótica ternura de Manuela con cualquier otra ternura erótica en el rostro de cualquier otra jovencita, sólo había que encontrarla. No había ninguna diferencia entre Alesia y cualquier otra mujer preparada para cuidarla y que necesitara el dinero para vivir.

Si todos son, en esencia, lo mismo, daba igual la posición que cualquiera tomara en su vida. De hecho, en ocasiones solía pensar que no importaría simplemente alternar las posiciones en su vida que diferentes personas ocupaban. Es decir, daría lo mismo tener a Juan como su padre, a su padre como un compañero de trabajo. O sería exactamente igual asistir a terapia con el doctor Graffé que asistir a terapia con su polvo de la semana pasada con una licenciatura de psicología encima.

Esto último tenía que ver sobre todo con su forma de ver la carrera de la psicología. Partiendo de que todas las personas son, esencialmente, lo mismo, cualquier sujeto que clame poder entender al resto de las personas le parecía absurdo. No sólo le parecía una posición egocéntrica, sino también irreal. Una persona que afirmara poder superar su condición de humano promedio para comprender a sus pares, le resultaba un timo.

La jornada laboral se hizo pesada para Julia, principalmente porque recordaba que, al terminarla, se veía obligada a ir a casa y estar con Juan. La simple idea de la presencia de otro en su espacio le era agobiante. Sobre todo porque esto implicaba que debían ir juntos en el auto de ella, comer y volver al trabajo al día siguiente. Era una interacción cotidiana, extendida y personal, y por tanto, tremendamente abrumadora para ella.

A la salida del trabajo, camino a casa, y justo cuando ella ya había empezado a resignarse a su destino, Juan espetó un típico "¿Qué tal tu día?" a modo de iniciar una conversación que intentaba demostrar interés por ella, y eso fue la gota que derramó el vaso. Julia inmediatamente cambió la dirección del auto hacia la casa de su amigo. Ni siquiera estaba pensando en qué haría exactamente al llegar allá. La primera idea que tuvo fue, simplemente, estacionarse frente al edificio y obligarlo a bajarse en la entrada. Juan no estaba seguro de qué pasaba, y se quedó en silencio por un momento.

Cuando se hizo evidente que el destino último sería su casa, por fin se atrevió a preguntarle "¿Julia, a dónde vamos?" a lo que ella no emitió respuesta. Sólo sabía que estaba segura de querer deshacerse de él para poder estar tan sola como lo deseaba, y ni siquiera quería contestarle. Lo único que hizo fue aumentar la velocidad.

Tras tres minutos de un silencio incómodo, Julia se estacionó de golpe ante el umbral del edificio de Juan y abrió los seguros de las puertas del auto, todavía sin emitir una sola palabra, ni retirar la vista de la vía. Juan sólo se atrevió a preguntarle "¿qué haces?" con un tono que evidenciaba su preocupación y dolor.

No es que realmente no quisiera dejarlo ahí y arrancar directo a casa, pero enfrentarse con esa situación la había hecho cambiar ligeramente de opinión. Ciertamente, él no deseaba irse a casa porque su esposa no quería recibirlo, pero ella se había dado cuenta de una cosa más: se sentía traicionado por ella. El tono de voz de su amigo le había revelado, más que dolor, sorpresa por lo que estaba sucediendo. Aunque no lo hubiera querido, Juan ya esperaba cosas de ella, y eso la ponía en una posición de compromiso que, aunque realmente no quería asumir, no quería quebrar tan fácilmente.

- Creo que deberías intentar hablar con tu esposa para arreglar las cosas y por eso nos traje para acá. – Dijo ella por fin, y sin ver mayor posibilidad de maquillar lo que inicialmente era su verdadera intención. Juan suspiró con alivio.
- No querrá hablarme, ayer me echó a patadas de la casa.
- Pero ayer estaba molesta, tal vez hoy ya esté más tranquila. Sólo inténtalo.

Se bajaron juntos del auto, y él se acercó al intercomunicador para llamar al número de su apartamento. Marcó los números correspondientes y tras una serie de repiques, finalmente se escuchó una voz femenina al otro lado del teléfono.

- ¿Hola?
- Hola, mi amor, soy yo. Quisiera que hab…
- ¡Vete, te quiero lejos de esta casa!

- Por favor, sólo quiero que hablemos.
- No tengo nada que hablar contigo, hijo de puta.
- Mi amor, por favor…
- Anda a rogarle a la otra. – Y tras terminar la frase, colgó.

Juan sólo suspiró, y dirigió a Julia una mirada de "te lo dije". Sin pensarlo demasiado, ella volvió a presionar el código telefónico de la casa, hasta que la histérica voz femenina volvió a atender el teléfono.

- ¡Te dije que te fueras!
- Hola, te está hablando Julia una compañera de trabajo de tu marido y ….
- Seguro que tú eres otra que se está cogiendo.
- …. No, sólo una amiga que cree que él merece otra oportunidad.
- Claro que te está cogiendo, no me vean la cara de pendeja.
- …. ¿Juan podría subir al menos subir a recoger sus cosas? – y se colgó la llamada de golpe.

Juan comenzó a caminar de vuelta al auto, resignado y lamentando haberle hecho caso a Julia. Cuando estaban a punto de subirse, escucharon gritos. Al volver la mirada, vieron a la enfurecida mujer lanzando prendas y zapatos hacia el asfalto desde un piso ocho al grito de "TOMA TU MIERDA".

El marido corrió a recoger sus cosas desparramadas en el suelo, mientras le decía que por favor le permitiera subir a buscarlas él mismo, pero los ecos femeninos eran más fuertes. Pronto los transeúntes comenzaron a rodear el espectáculo, aprovechándose de sus teléfonos celulares para tomar registro de lo que sucedía. Cuando la ropa se terminó, la esposa comenzó a tirar sus libros, maletines y relojes, obligando a los chismosos a alejarse para evitar resultar heridos. Julia permaneció dentro del auto escuchando la radio mientras sucedía todo, esperando que su amigo pudiera cargar todas las cosas hasta la parte trasera del auto, para irse a casa.

8. UN SENTIMIENTO DESCONOCIDO

Esa noche, y a pesar de las insistencias de Juan, Julia recibió a las parejas sexuales que tenía previstas para esa noche, quedando él por fuera. Mientras ella se divertía como quería en la habitación, su amigo, permanecía en la sala de la casa, viendo televisión y comiendo diferentes dulces que habían comprado en el camino a casa. Cada cierto tiempo se veía obligado a subir el volumen de la programación, porque la bulla que se producía en la habitación no le permitía escuchar nada.

Cuando ya Julia despidió al último de esa noche, Juan se presentó en su habitación particular sin decir palabra. Ella pensó, por la aparición repentina, que venía a rogarle que tuvieran sexo, pero cuando pudo evidenciar la tensión en el rostro de su amigo, se encontró con una de esas cosas que no conocía: el despecho.

Juan tenía un nudo en la garganta que no le permitía expresar ninguna palabra con claridad, y ante cualquier intento de formular alguna oración, los quejidos de un llanto ahogado se interponían. Se rindió tras breves segundos, a lo que prefirió simplemente acercarse a Julia y abrazarla en señal de auxilio. Ella no supo qué decir, sólo imitó los movimientos de él y completó el abrazo.

Apenas sintió las manos de su amiga en la espalda, Juan por fin comenzó a llorar. Comenzaron a correr lágrimas por sus mejillas, y ella permaneció quieta, sin saber qué hacer. Pronto él comenzó a ahogarse en su propio llanto, mientras intentaba decir palabras que resultaban inentendibles. Julia sólo comenzó a darle suaves palmadas en su espalda, mientras se mantenía respirando para mantener la paciencia y no quitárselo de encima.

No podía entender como una persona podía caer en un estado como ese por alguien más, si a fin de cuentas cualquier persona es dispensable. Le quedaba muy claro que él lo veía todo de una forma diferente a la suya, pero no podía entender cuál era esa forma, y mucho menos por qué lo llevaba a comportarse de esa forma. Podía suponer que Juan veía a las personas como seres únicos, y que tal vez ahí residía su problema.

Como estaba consciente de esta honda diferencia entre ambos, prefirió no expresar ninguna palabra. Ella sabía que lo que le correspondía era servir de confort para su amigo, pero no sólo no sabía hacerlo, sino que tampoco lo comprendía del todo. Ella ya se había sentido frustrada, triste y molesta por alguna que otra razón en su vida, pero buscar a otro para que le consolara le parecía tan inconcebible como la sola idea del consuelo.

Juan estuvo llorando durante un rato encima de su hombro, variando su patrón de llanto cada tanto, comenzando por subir el volumen poco a poco hasta alcanzar el nivel máximo, para luego volver a llorar en murmullos de forma cíclica. Julia permaneció todo este tiempo pensando en el inmenso bache que percibía entre él y ella, mientras continuaba palmeando su espalda.

Cuando la escena finalizó, él sólo se separó de ella y se alejó hacia la sala para poder dormir. Ella apagó la luz de su habitación y se acostó en su cama. Pasó el resto de la noche intentando conciliar el sueño, mientras seguía pensando en cómo ella y el resto de las personas se diferenciaban emocional y socialmente. Sólo un par de horas antes de que sonara la alarma, pudo quedarse dormida.

Esa mañana, y como estaba previsto por su agenda, Juan y Julia tuvieron sexo. En esta oportunidad, la actitud de él fue mucho más vigorosa, y aunque esto la sorprendió, igualmente le encantó. Lo cierto es que esto era un intento por ser vengarse de su esposa, aunque no estuviera presente, y por intentar demostrarse a sí mismo que era más duro de lo que parecía.

El resto de la mañana se desarrolló como si el evento de la última noche no hubiera sucedido nunca. Conversaban de lo típico, se reían eventualmente, y no pronunciaban ni una sola palabra de la tristeza que él había sentido anoche. Julia lo prefería de esta forma, pues el hecho de volver a revivir aquello al menos una vez más en una conversación, le parecía demasiado agotador. Sin embargo, aún le daba vueltas a las diferencias entre su emocionalidad y la que percibía en los otros.

Fueron juntos a trabajar, tuvieron un día como cualquier otro en la oficina y esforzándose por fingir de cara a los compañeros de trabajo que él no estaba quedándose en casa de ella. Esto sobre todo por el hecho de evitar las preguntas referente a la relación que mantenían, y aquellas relacionados con la esposa de Juan y cómo se permitía que él se quedara en casa de otra mujer.

Ese día Julia debía ir a consulta psicológica al salir del trabajo, así que, a su pesar, tuvo que dejar a su amigo en su casa, mientras iba al consultorio a recibir terapia. Juan insistió múltiples veces en acompañarla, pero ella prefería siempre mantener el asunto de su terapia con reserva y vergüenza. Entre menos se implicaran los otros en ese asunto, mejor resultaba para ella. Por eso, aunque no estuviera contenta con la idea de dejarlo solo en casa, le parecía mejor que llevarlo consigo.

Exactamente a la hora pautada, ya el doctor Graffé la recibía en el consultorio. Se saludaron como ya era costumbre, ella se sentó con cuidado en su asiento y, antes de que el psicólogo pudiera pronunciar palabra, Julia soltó casi sin pensar:

- Quiero hablar sobre los sentimientos de los otros.
- ¿Qué quieres hablar sobre ellos? – le preguntó Diego. Esta actitud de su paciente le había sorprendido mucho.
- Son diferentes a los míos. – Continuó ella.

- ¿Por qué te parecen diferentes?
- Me parece que a ellos les importan mucho, y que los elementos de su exterior, sobre todo las otras personas, pueden hacerlos variar con mucha facilidad.
- ¿Y cómo son los tuyos?
- No estoy muy segura sobre cómo puedo describirlos, pero veo que los de los otros son más intensos. Yo no describiría mis emociones como nada cercano a algo primordial en mi vida. Es sólo algo que de vez en cuando me asalta, pero tan pronto como aparece, se va... se parece un poco al revoloteo de una mosca. Resulta fastidiosa, te distrae, pero basta con cambiarte a un asiento que esté lejos para que deje de molestar.
- ¿Y te pasa igual con las emociones positivas?
- ¿Cuáles son exactamente?
- Felicidad, sorpresa, también podría serlo el amor, el aprecio....
- No es tan diferente. Tal vez la felicidad no sea una mosca que resulta incómoda, pero nunca la he vivido con demasiada intensidad.
- Entiendo... y ¿cómo celebras, por ejemplo, tus logros?
- Me tomo una copa de vino, o voy a comer a algún sitio que me guste.
- Claro, pero me refería a cómo los celebras emocionalmente.
- No estoy segura de lo que me está preguntando.
- ¿Cómo te sientes cuando logras tener algo que deseabas?
- Bueno, inicialmente me siento feliz, es como una ráfaga de frescura. Luego, tras breves segundos, no sé, me empiezo a sentir a gusto. Creo que ese es mi sentimiento más común.
- ¿Estar a gusto? – Preguntó el doctor, mientras anotaba con rapidez en su libreta.
- Sí. Aunque siempre existe esto que comenté la vez pasada, sobre esta imposibilidad de insatisfacción. En ocasiones eso puede afectar mi "estar a gusto" habitual.
- ¿Cómo lo afecta?
- Me pone de muy mal humor, me pone muy mal, es algo

que me obliga a salir a tratar de que se vaya. De eso si no puedo escapar.

- ¿Y cómo se detiene?
- Tras uno o varios orgasmos, depende de la ocasión. A veces requiero de tener sexo con otra persona para que pueda desvanecerse y poder así volver a mi estar a gusto habitual.
- Entiendo. ¿Y qué tiene que pasar para que ese sentimiento afecte tu "estar a gusto"?
- No estoy muy segura.
- ¿Nunca has encontrado ningún tipo de patrón?
- Me parece que no….
- ¿Algo que se repita en todas las veces que te sientes así?
- Déjeme intentar recordar….

Lo cierto es que esto no le había pasado demasiadas veces en su vida, y tampoco era algo que se repetía con un patrón invariable. En ocasiones requería de tener sexo por horas para poder volver a sentirse estable, y en otras ocasiones sólo bastaba utilizar el vibrador durante varios minutos para que pare.

Julia comenzó a tratar de revivir la sensación en un intento por poder recordar y conseguir algo semejante a un patrón. Echó su mente a volar por un momento, tratando de ir hacia atrás y conectar las diferentes percepciones que tenía en esos momentos, para así formar una suerte de mapa sensitivo, que pudiera acercarla a la sensación y con ello, a poder recordar el contexto en el que se desarrollaba.

La sensación era fácilmente reducida a un agobio. Lo sentía como una sensación asfixiante en el pecho, que casi no le podía permitir respirar. Es como una idea que la persigue y que le exige que de más de lo que ya le da. Es una presión en todos los músculos de su cuerpo, es la sensación de estrés ahogándola y llevándola a rastras. Era la peor cosa que había sentido en su vida.

Lo primero que se desencadenaba era la presión en el pecho, semejante a cargar un pesado saco sobre los senos. Eso era lo que le permitía saber lo que vendría después. Luego comenzaba a sentir sus ideas nublándose, mientras veía la presión de ir a por la última satisfacción persiguiéndola. Esa sensación se esparcía por todo su cuerpo, y comenzaba a tensar sus músculos uno a uno, comenzando por el cuello, los hombros y los brazos, y hasta llegar a las piernas y pies. Tras armar la secuencia, se dio cuenta de una cosa.

- Creo que todo se desencadena a raíz de algo malo que me ocurre.
- ¿Algo malo como qué?
- Recuerdo una vez que me pasó justo después de haberme quedado dormida un día que tenía una entrevista para un trabajo que me permitiría irme de casa de mis padres. Fue cuando era más joven. Me desperté justo a la hora que debía estar en la oficina siendo entrevistada. Apenas me levanté de la cama comenzó la presión en el pecho, y yo ya sabía todo lo que proseguiría.
- ¿Por qué era tan importante para ti salir de casa de tus padres?
- Porque estando ahí no podía llevar mi vida sexual a complacencia de forma cómoda. Me veía obligada a organizarme para tener sexo mientras no estuvieran, o en su defecto, ir a diferentes hoteles o a casa de las personas con las que quedaba.
- Entiendo… ¿y recuerdas cuando fue la última vez que tuviste esta sensación?
- Fue poco después de haber despertado luego de ser abusada. – Respondió ella, sin cambiar ni un poco la expresión de su rostro.
- ¿Cómo te diste cuenta de que habías sido abusada?
- Me desperté en la sala de emergencias, y vi un pequeño charco de sangre en las sábanas debajo de mí. Intenté levantarme, pero el dolor en mi vientre era demasiado insoportable. Inmediatamente me asaltó ese sentimiento….

Creo que esa fue la vez más difícil. De inmediato las enfermeras se dieron cuenta de que algo me pasaba, y cuando se acercaron para ayudarme, me sentí aún peor. Quería poder tocarme, quería poder calmar ese sentimiento, y no me lo permitían. Me tomaron de las manos y los pies, me decían que me calmara, y eso sólo empeoraba la presión sobre mi pecho. Sentía que no podía respirar. Ahí me inyectaron algo intravenoso y volví a quedarme dormida.

- Al ver la sangre, ¿no te cuestionaste cómo había llegado ahí?

- En ese momento sólo pensaba en que tenía que calmar ese sentimiento. Lo demás, lo que me hubiera causado las heridas resultaba secundario en ese momento.

- Entiendo... y, respecto al episodio de abuso ¿qué otros sentimientos tuviste?

- No lo recuerdo demasiado. Recuerdo que cuando me desperté no comprendía nada. Luego sentí sorpresa al ver la sangre. Posterior a todo esto sólo me he sentido increíblemente frustrada por el desarrollo del vaginismo a raíz de eso. Sin embargo, a día de hoy es algo que me genera mucha menos frustración. Estoy, a pesar de todo, a gusto.

- Y mientras estabas viviendo el abuso, ¿qué sentías?

- Nada. Estaba dormida, inconsciente. Me parece que me puso a oler algo para hacer que me quedara dormida.

- ¿Y denunciaste lo ocurrido?

- Sí que lo hice, pero ya sabes cómo funciona la justicia en este país: se lavaron las manos. Mi denuncia pasó a una larga lista de otras muchas denuncias de abuso sexual, y no la han atendido. Probablemente nunca lo hagan.

- Pero ¿no les has dicho quién fue el culpable?

- No estoy demasiado segura de quién es, por eso mi denuncia pasó a una lista de espera. El hecho de tener que hacer la labor criminalística para poder saber quién fue ya significaba tener que posponer mi caso. Sólo recogieron algunas huellas en mi cuerpo, pero nada más. No habían rastros de semen tampoco.

- Entiendo, y ¿cómo te sientes con eso?

- No me sorprende, no me preocupa. Quisiera que pudiera pagar por lo que me hizo, pero no puedo hacer o sentir demasiado al respecto. En fin, es un tema olvidado – el Dr. Graffé le dirigió una mirada suspicaz que se le escapó contra su voluntad, y tomó nota al respecto.

- ¿Cómo fue todo cuando te diste cuenta del vaginismo?

- Bueno, luego de pasar varios días agobiantes de tratamiento sin poder tener sexo, y cuando por fin pude volver a quedar con alguien para tener sexo, lo que más anhelaba era poder sentir de nuevo la penetración. Traté de apresurar todo hasta ese momento, pues era lo que más deseaba, porque era lo que se me había quitado por todo ese tiempo. Cuando finalmente pude tenerlo y vi que no era posible…. Me quebré. Permanecí incrédula, pensé que tal vez era culpa del hombre que estaba conmigo, pues tal vez no sabía cómo hacerme disfrutar. No sé describir lo que sentí, pero fue una sorpresa terrible.

- Y, a pesar de que tú misma vives el vaginismo en tu propia piel ¿aún consideras que ese episodio no te afectó? – le preguntó el Doctor. Julia permaneció pensativa por un momento.

- No lo sé. No puedo sentir que me afecte. Yo estoy bien.

- Tienes una sintomatología que demuestra que si te afectó y que si tuvo un impacto importante en tu vida.

- Vale, sí, es cierto. Pero el asunto del vaginismo no es culpa mía. – Dijo ella en un tono pedante.

- No, no es culpa tuya. En ningún momento he intentado culparte, tranquila. Sólo me parece importante que comiences a comprender que vivir con algo como el vaginismo demuestra que sí te ha afectado, aunque no puedas darte cuenta de ello.

- No lo comprendo.

- Es un asunto un poco difícil de comprender. Por ahora sólo me interesa que entiendas que, no todo se procesa a un nivel consciente, y que hay muchas cosas que pueden pasar bajo la mesa, desapercibidas, y causar estragos, como es el caso de tu vaginismo. No te afectó conscientemente, pero a un nivel inconsciente pudo afectarte lo suficiente para manifestarse físicamente. – Al escuchar esto, Julia permaneció en silencio varios segundos, tratando de absorber esta información.

- Sigo sin comprender del todo. – Dijo ella por fin.

- Tranquila. Poco a poco lo comprenderás, para eso estamos haciendo la terapia. Algo positivo ahora mismo es que, por lo que veo, hoy en día manejas mejor el tema de tener vaginismo.

- Sí, sin duda. No estoy feliz con esta situación, mucho menos tranquila, pero vaya, he logrado mantener el ritmo de mi vida sexual a pesar de eso.

- Lo importante es que has venido a buscar ayuda para poder solucionarlo.

- Sí, no lo sé, siento que todo esto toma demasiado tiempo. Converso con usted varias horas a la semana y me parece que no llegamos a ninguna parte, y que ni siquiera estamos cerca de ninguna parte.

- Entiendo, Julia. La terapia requiere de paciencia, pues es un proceso largo y complejo. Sé que en las condiciones que te encuentras ahora, el hecho de tener que esperar y hablar sobre cosas que no te parecen relevantes puede resultar demandante, y parecer innecesario, pero no lo es. El asunto del vaginismo es un difícil de tratar, pues se trata de curar un mal físico que se ha venido desarrollando, pero créeme, vamos por el camino correcto. Hay que tomarse las cosas con un poco más de calma.

- Está bien, doctor. – respondió ella, casi en tono derrotista

- ¿Quieres decirme algo más antes de dar por terminada esta sesión?

- No. Está bien.

- Muy bien entonces, Julia, te veo en la próxima sesión.

9. ESOS TRES

Al entrar a casa, Julia se encontró a Juan sin camisa dormido encima del sofá. Decidió no despertarlo y corrió a bañarse para poder recibir a sus parejas previamente citadas para esa fecha. Esa noche, había cuadrado cita con Andrés, Milena y Ricardo. Y este era uno de sus días favoritos, no concretamente por la calidad de cada amante, sino por el contraste que existía en mantener relaciones sexuales con los tres.

Julia había sido la primera vez de Andrés. Cuando lo conoció, en la fiesta de uno de sus amigos de la universidad, él era un muchacho joven, estudiante de química pura y una persona muy tímida y reservada. Había asistido esa noche por una inmensa presión por parte de sus compañeros, por lo que al final prefirió acceder e ir a la fiesta que seguir escuchándoles. Al final, lo agradeció, pues fue esa misma noche que por fin perdió la virginidad.

Fue complicado empezar a entablar una conversación con él debido a su timidez, y eso fue lo que le gustó a ella, esa clara señal de que era un novato. La posibilidad de irse a la cama con un hombre virgen le provocaba un inmenso morbo. Le encantaba eso de poder pervertir a un hombre inocente, manipularlo y jugar con él a su favor, así que se encargó de cumplir sus deseos.

Tras una incómoda conversación de breves minutos, Julia lo acercó a la barra, se sentó junto a él y empezó a pedir muchos tragos diferentes. Ella sabía que tenía mucha tolerancia al alcohol y sus efectos, e imaginó que él no lo tenía, y estaba en lo correcto. Tras unos cuantos vasos bebidos, Andrés ya comenzaba a perderse en los efectos del alcohol. Al darse cuenta, ella empezó a preguntarle sobre su experiencia con las mujeres, y sobre todo, la sexual. Ahí supo que tenía razón: era virgen.

Poco a poco comenzó a convencerlo, le hablaba cada vez más de cerca, lo veía a los ojos y se mordía los labios, le acariciaba la pierna con sensualidad, y podía sentir como la voluntad del muchacho se desvanecía ante sus encantos. Un rato después, ya estaba llevándolo a la habitación.

Bastó unos cuantos besos para ponérselo duro, y luego de ponerle uno de los condones que siempre cargaba en la cartera, se montó sobre él e hizo todo el trabajo. El muchacho, en medio de su estado alcoholizado y disfrutando de todo, abrazó a Julia y comenzó a gemir con suavidad, mientras intercalaba de vez en cuando carcajadas sueltas y algún hipo ocasional.

Ella tuvo oportunidad de un orgasmo antes que él, y cuando finalmente acabó, se quedó dormido de inmediato. Ella volvió a vestirse y salió a seguir disfrutando de lo que quedaba de fiesta. Como antes de llevárselo a la cama aprovechó de pedirle su número, al día siguiente le mandó un mensaje de texto para poder planear una próxima vez juntos.

Desde esa vez, Andrés y Julia habían quedado con cierta regularidad. Varias veces habían perdido el contacto, pero siempre volvían a recuperarlo de una manera u otra y podían volver a quedar una vez más. Desde hacía más o menos un año y medio, ella le había asignado lo que venía siendo su cita semanal, y desde ese entonces no había faltado ni una vez.

A pesar del tiempo que había pasado, y de la experiencia sexual que había ganado con los años, Andrés seguía siendo un hombre tímido, y mucho más con las mujeres. Además, se había acostumbrado a que Julia era la que tomaba las decisiones en sus encuentros sexuales, la que dirigía y la que tomaba el control de la situación. Él sólo escuchaba y acataba

Sin embargo, tantos años de experiencia junto a ella habían hecho de él un amante casi a la medida de Julia. La característica destacable y, hasta ahora, irremplazable de él, era el movimiento de sus caderas mientras la hacía suya. La coordinación y forma de menearse para penetrarla era, para ella, la gloria. Seguía un patrón ondular, intenso, y que mantenía un ritmo estable a pesar del cansancio, de los cambios de postura y de las posibles distracciones. El tamaño de su pene no era destacable, pero su forma de abrirse paso dentro de la vagina de ella lo compensaba.

Lograrse maestro en este arte le tomó mucho tiempo. Las primeras veces, siquiera podía mover su cintura para lograr estar con ella, así que Julia se veía obligada a tomar ella la iniciativa y hacer todo el trabajo. Sin embargo, luego de casi un año y medio de práctica, ya había desarrollado un movimiento propio. Con los años venideros, este compás original se perfeccionó hasta convertirse en su característica más destacable. "No puedo comprender como es que no sabes bailar" le solía insistir Julia.

Hubo una ocasión, hace alrededor de tres años, en la que habiendo acabado el polvo y mientras permanecían acostados mirando al techo, él dijo: "lo que hiciste aquella noche en la fiesta el día que nos conocimos, fue abuso". Julia se quedó un momento pensando, pero no le respondió. Ante su silencio, Andrés insistió en su punto: "Si yo te hubiera embriagado intencionalmente para llevarte la cama, me hubiera puesto encima de ti y te hubiera cogido, habría sido abuso. Aunque tu hayas sido la culpable y seas mujer, sigue siendo lo mismo."

Julia sólo respondió: "lo tenías parado", a lo que él dijo "cierto, pero no estaba consciente de nada de lo que estaba sucediendo". Discutieron un poco más la situación, hasta que Andrés vio que era imposible llegar a ningún tipo de consenso. Ella insistía en su posición, y él en la suya.

Aunque no fuera lo correcto, Julia solía llevar muchos aspectos de su vida de esa forma: jugando a favor de sus intereses y olvidando la voluntad de los otros. Pero lo cierto es que, ninguno antes le había enfrentado, ni le había hecho encarar esta realidad como lo había hecho Andrés. Aunque ciertamente, nunca había llegado a cometer un abuso de esa magnitud, con ninguna otra persona.

Pasaron alrededor de dos meses sin hablarse, y durante todo ese tiempo, Julia meditó mucho sobre esta situación. A pesar de que ella no lo hizo a la fuerza, y que el cedió sin problemas, esto se debía a los efectos del alcohol que ella misma le provocó. A pesar de no haberle hecho daño, a pesar de no haberle herido, igualmente había pasado por alto su voluntad y lo había utilizado para satisfacer sus intereses. Un buen día le quedó todo muy claro, sólo que no sentía ni una gota de arrepentimiento.

Esa misma tarde lo llamó y le dijo que tenía razón respecto a lo del abuso, y que de verdad lo sentía y quería pedirle disculpas. La verdad es que las disculpas no eran honestas, pero su reflexión respecto a la situación si fue sincera. Este evento también podía decir mucho sobre el tipo de relación que Andrés y Julia mantenía, pues él, a pesar de haber estado desde siempre consciente de cómo ella se saltó su voluntad, igualmente decidió pasarlo por alto y seguir manteniendo relaciones sexuales con ella, incluso a día de hoy, que sabía muy bien que ella nunca se arrepintió de lo que le hizo.

Desde el momento en que se conocieron, los roles habían sido asignados: Julia lo dominaba, lo superaba, y él solamente obedecía todo lo que ella le decía. A la hora de estar juntos, ella daba las directrices, le decía cómo moverse, qué posición hacer y qué vendría después, mientras él obedecía sin cuestionar y sin ofrecer nada más. Era muy tarde para cambiar esto, además, a ambos le gustaba presentarse de esa manera ante el otro.

Por otro lado, y en una postura diferente, Milena era una chica que disfrutaba ejercer una posición de poder sobre sus amantes, a través de la temática de BDSM. Su gran placer era amarrar a sus parejas, darles órdenes, complacerlas y obligarlas a disfrutar de todo lo que ella quisiera hacerles. Había desarrollado esta afición desde que era una adolescente y descubrió sobre ese mundo a través de un foro en internet, lugar donde también conoció a una de sus actuales sumisas, Julia.

Julia llegó al foro de BDSM por puro azar. Había escuchado algo al respecto en diferentes medios de comunicación, y un día decidió investigar por su cuenta más a fondo. Luego de leer sobre lo que consistía y cómo se hacía, decidió buscar a alguien con quién intentarlo. El primer enlace sugerido en la web para hacerlo era el foro en el que Milena llevaba años participando.

Chatearon durante apenas un par de horas, y luego de un rápido intercambio de datos, ya Milena estaba en la puerta de su casa con todos sus juguetes. Había traído cuerdas de diferentes colores, que iban desde los tonos grises hasta los pastel, para así permitirle elegir qué colores y qué combinaciones quería para ser atada y dejarse llevar. También tenía una colección de juguetes para someterla de diferentes formas, incluyendo esposas, látigo, mordaza y dildos de muchos tamaños diferentes.

Antes de empezar, y siguiendo los pasos sugeridos por la comunidad BDSM, firmaron un contrato personal en el que ambas prometían cumplir con el rol que se les había sido asignado, siendo Milena la dominante y Julia su obediente sumisa. Establecieron una *Safe Word* en caso de emergencia, y sellaron todo su pacto con un buen apretón de manos.

Ese día, Julia fue amarrada a su propia cama con una colección de cuerdas rosas y púrpuras, había sido obligada a hacerle sexo oral a su ama mientras esta se sentaba sobre su rostro, había tenido múltiples orgasmos con una serie de dildos, siendo cada uno más grande que el anterior, había recibido latigazos en sus nalgas sin poder quejarse, y todo le había encantado.

Esa noche también notó la característica tan resaltante y erótica de su compañera: su voz. La voz de Milena era lo suficientemente gruesa para provocar temor, pero también tan dulce como una joven inocente. La posibilidad de cumplir ambos papeles, hacía de la voz de la chica una con muchas posibilidades a la hora de jugar. Podía agradecer y consentir a su sumisa con suave ternura, pero también podía obligarla a cumplir sus deseos con autoridad, y todo con naturalidad y un tono de voz que no dejaba de ser sensual.

A Julia le gustaba el BDSM, pero no lo suficiente como para hacer de éste su práctica sexual regular, así que sólo lo disfrutaba con Milena. En ocasiones se cuestionaba si realmente disfrutaba todo lo que el BDSM implica, o si era solamente por el hecho de escuchar la voz de la joven que le resultaba tan seductora y encantadora.

Desde siempre había encontrado las voces femeninas significativamente más sensuales y atractivas que las masculinas, y esa era una de las principales razones por las que disfrutaba mantener relaciones sexuales con mujeres. Pero, la voz de Milena era distinta a la de cualquier otra mujer con la que hubiera estado antes, y eso la hacía muchísimo más atractiva ante sus ojos.

A veces pensaba que, tal vez, el verdadero encanto que le veía a esta práctica era el simple hecho de poder dejarse llevar y permitirle a otra persona que tomara el control de algo que tanto le exigía día a día: su sexualidad. La posibilidad de estar, igualmente satisfaciendo sus deseos, sin tener que tomar ninguna decisión al respecto, y simplemente tener que dejarse llevar por otra persona, le encantaba.

Además, el hecho de pasar a ser totalmente obediente y dependiente de las decisiones de Milena, luego de haber tomado el control total con Andrés, le resultaba reconfortante, y era una forma maravillosa de liberar tensiones, más allá de las del día a día relacionadas con el hecho de tomar día a día decisiones que sólo dependen de ella y que no tiene oportunidad de consultar con nadie nunca.

Por otro lado, con Ricardo, el tercero y último amante de esta noche, todo seguía una lucha de poderes no demasiado intensa, y podría clasificarse como lo que ella llamaría un polvo regular. En ciertos momentos, él tenía todo el control de lo que estaba sucediendo, hasta que ella reclamaba su posición y entonces el juego se invertía, con ella como la dominante de la situación, y luego él volvía a tomar su puesto, y así sucesivamente durante toda la noche.

Era un hombre encantador y muy guapo, a ella siempre le había parecido así. Se conocieron una noche en un bar. Él iba con un grupo de amigos a celebrar un ascenso en el trabajo, y ella iba sola a la caza de alguien con quien estar esa misma noche. Se vieron entre el montón de gente, y la química fue algo inmediato e innegable.

Estuvieron durante un buen rato intercambiando miradas el uno con el otro, hasta que finalmente, Ricardo se acercó a la barra donde estaba ella y le invitó un trago. No conversaron demasiado, y lo poco que hablaron giró alrededor de lo guapo que pensaban que era el otro. Tras unos diez minutos de conversación, ya estaban subiéndose al auto de ella y en camino a un hotel a pasar la noche.

La primera vez fue increíble para ambos, aunque, para Ricardo el inmenso apetito sexual de Julia fue una gran sorpresa. A lo largo de su vida, nunca se había encontrado con nadie que tuviera un apetito sexual tan inmenso y una condición física que permitiera tener sexo durante tanto tiempo seguido. Para él, Julia había sido una revelación.

Como ya le había pasado varias veces a Julia, Ricardo interpretó su polvo de la última noche como una posibilidad de establecer una relación de pareja a largo plazo. Al día siguiente, tras intercambiar números telefónicos, él la llamó para invitarla a cenar a un restaurante de comida mediterránea. Ella aceptó, sobre todo porque lo consideró una excusa perfecta para poder volver a tener sexo con él, y de hecho, lo fue.

Sin embargo, con el paso de los días Julia se dio cuenta de las intenciones románticas y de formalización de compromiso de Ricardo, y, como siempre había hecho, habló con él de frente para cortarlo todo de raíz. "Si quieres algo de mi diferente al sexo, no te lo puedo dar" fueron sus únicas palabras. Sin embargo, él accedió a aceptar sus condiciones y establecieron una relación únicamente sexual, que se ha mantenido hasta el presente.

La noche de hoy, Ricardo había decidido traer una botella de vino para compartir con Julia, algo que no había hecho nunca antes. Ella preguntó por qué, a lo que él respondió que se debía a que estaban cumpliendo un año de llevar esta relación juntos. A ella le causó mucha gracia su intención. Brindaron, bebieron y tuvieron buen sexo por más de una hora.

Cuando Ricardo se fue del apartamento, Julia sacó el resto de la botella y se lo entregó a Juan, quien estaba ahora despierto ante el televisor.

- Lo vas a necesitar más que yo. – Le dijo ella.
- No lo sé. A veces creo que tú la necesitas más que yo.
- ¿Por qué lo dices?
- Me parece que tienes un problema para sentir con normalidad.
- ¿A qué te refieres? – Le respondió ella con un toque de indignación.
- Creo que te prohíbes sentir, y huyes de todo lo que implica. Es como si no te permitieras estar feliz, triste o molesta, o como si simplemente no supieras cómo hacerlo. Tal vez si te dieras una oportunidad para vivirlo, podrías estar mejor.

- Pero yo estoy bien.

- Eso sueles decir, pero a veces me parece lo contrario, Julia – Dijo él. Ella le escuchó, pero no emitió ninguna respuesta. Ella ya estaba al tanto de esto, ya lo había conversado con su psicólogo, ya había pasado toda la noche pensándolo, pero no quería hablar al respecto con él, prefería seguir ignorándolo.

- ¿Recuerdas esa vez que estuviste a punto de ser despedida? – Le preguntó él. Julia afirmó con la cabeza. – Rodrigo te humilló frente al resto de la empresa, te machacó todos tus errores, que tampoco eran demasiado graves, y tú permaneciste como si nada. Recuerdo que esa misma noche vinimos y estuvimos juntos, tú estabas tranquila. Y eso no lo puedo comprender, Julia, lo correcto ante una situación como esa, o al menos lo común, habría sido una mínima muestra de interés, vergüenza o dolor, y no hubo nada de eso de tu parte.

- No me pareció gran cosa.

- Pero tampoco eres capaz de sentir por los demás, Julia. A veces me parece que no tienes nada parecido a la empatía, pero ni un gramo de ella. Es como si no pudieras comprender los sentimientos de los otros. Esa noche en la que fui a llorar contigo, en búsqueda de apoyo, sentí que sujetaba una pared. Y te he visto, te he visto en el trabajo presenciando situaciones dolorosas para otros, como si de un comercial de televisión se tratase, como si nada.

- ¿A qué quieres llegar con todo esto, Juan?

- No lo sé, me gustaría poder ayudarte. Creo que vivir así no debe ser bueno, no debe ser fácil. No lo sé, no soy psicólogo, pero podría relacionarse con tu problema con el sexo, incluso con tu vaginismo.

- No tengo ningún problema con el sexo. Además, estoy yendo a un psicólogo para que realmente me ayude a curar mi vaginismo.

- Pero tal vez tengas otras cosas que solucionar primero, Julia, ¿no lo has pensado? Pues deberías. Yo creo que tienes que arreglar otras cosas que te pueden hacer sentir mucho mejor contigo misma.

- No lo sé....

- Yo sólo quiero ayudarte. Aunque no lo creas, aunque te resulte incomprensible, he desarrollado cierto afecto por ti, y me importas, como amigos.

- Gracias.

- No me agradezcas, sólo quisiera que pensaras más en ese aspecto tuyo, entendiendo que no es algo normal.

- Sí. Honestamente…. lo he pensado, y lo hablé con el psicólogo, pero no me ha dado respuestas. Supongo que ya lo iremos mejorando.

- Está bien. Me alegra que estés consciente de eso. Considera también que tú puedes contar conmigo para más cosas diferentes al sexo.

- Gracias. – Dijo ella en medio de una sonrisa. – Toma el vino, me voy a dormir. - Se dieron un apretón de manos, con lo que Julia se fue finalmente a su habitación.

10. UN ALMUERZO EN SILENCIO

Luego de alrededor de diez llamadas denegadas y cinco mensajes de texto ignorados, Diego Graffé por fin había podido concretar una salida para almorzar con su hijo, a quien tenía alrededor de un mes sin ver. La única forma de que pudieran llegar a este acuerdo, fue que Diego accediera a ir a buscar a su hijo en casa y regresarlo, pues, aunque este tuviera su propio auto, explicaba que le daba mucha pereza ir por sí mismo al restaurante.

A alrededor de las dos de la tarde, ya su padre estaba pasando por su casa a recogerlo. Era una casa de dos pisos en la Urbanización Prados del Este, una zona tranquila en la que ante solía vivir la familia Graffé toda unida. De ahí fueron a Los Palos Grandes, a un restaurante de comida italiana, que venía siendo la comida favorita de Tomás.

Tomás era un joven que resultaba muy agradable físicamente a las mujeres. Tenía un porte muy masculino, era alto, fornido, y una tez ligeramente bronceada por el sol. Tenía una sonrisa encantadora y blanca en medio de unos labios carnosos, cabello oscuro y lacio, y una barba negra muy bien arreglada. Cualquiera que lo viera podría calcularle mucha más edad de la que tenía, a pesar de que su personalidad pudiera decir todo lo contrario de él.

El viaje en auto no fue demasiado agradable. Ninguno de los dos habló, a pesar de los intentos del padre por ser simpático y conversar de cualquier cosa con su hijo. Sin embargo, este se mostraba mucho más interesado en cambiar las estaciones de la radio para encontrar alguna canción que le pudiera gustar.

Luego de llegar, revisar la carta y decidir qué querían comer, Diego volvió a intentar establecer algún tipo de contacto con su hijo.

- Después de tanto pedirnos un auto, ahora ya te da pereza usarlo ¿eh? – le preguntó a modo de broma.
- Sí, no lo sé, no me gusta conducir en Caracas.
- ¿Por qué?
- Es mucho tráfico.
- Bueno, eso sí. Pero con el tiempo uno se acostumbra, hijo. ¿Y no lo utilizas siquiera para ir a la universidad?
- No. Mis amigos me buscan y me llevan.
- ¿Entonces dejas el auto todo el día, todos los días encerrado en casa?
- Sí. Aunque a veces bajo a encenderlo durante un rato.
- Vaya, hijo, un auto que no se usa se daña. Si quieres podrías dármelo para que yo lo use al menos un par de veces a la semana.
- No, no, no… – Respondió con muy mala cara.
- Tranquilo, sólo lo usaría para ir y volver del trabajo un par de veces.
- No, no, tranquilo.
- ¿Y tu madre no lo utiliza algunas veces para ir a algún lugar? También se podría hacer algo como eso.
- No, está en casa.
- Vaya hijo, pero es que mantenerlo así es muy malo para la batería y…
- Ya, papá, ya. Yo lo voy a usar, basta.
- Está bien, hijo, sólo me preocupa que se dañe y luego no haya como venderlo a un buen precio.

Tomás no respondió nada y comenzó a utilizar su teléfono. Pocos minutos después ya les estaban trayendo la comida. Ambos habían pedido el plato de tortellinis, era un gusto que ambos compartían. Comenzaron a comer sin decir ninguna palabra. Diego, que tenía tanto tiempo sin disfrutar de la compañía de su hijo, y quería poder hablar con él, volvió a intentar establecer alguna conversación con él con una pregunta genérica:

- ¿Qué tal todo con las muchachas?

- Bien. No hay ninguna que me guste demasiado.
- ¿Y no estás saliendo con alguien?
- Bueno, no regularmente. A veces salgo con una chica de la universidad, sólo que es un par de años menor y me parece un poco tonta.
- Por eso suele ser mejor salir con personas de tu edad. ¿No hay alguna que estudie en el mismo semestre que tú que te guste?
- Todas las que estudian conmigo son, como mínimo, dos años menores que yo.
- Ah, cierto que tu deberías estar unos semestres por encima. – Ante este comentario, Tomás volteó sus ojos hacia otro lado y no respondió nada. – Bueno, quiero decir, podrías estar unos semestres por encima. – Continuó él.
- Sí, entiendo lo que quieres decir. ¿Pero qué puedo hacer? No había ninguna carrera que me convenciera demasiado, y no es que lo que estoy estudiando ahora me encante. Lo hago porque parece que eso es lo que se debe hacer.
- Bueno, hijo, tú ya luego puedes trabajar en lo que desees, pero tener un título universitario es muy bueno para tu perfil. Además, la vida universitaria permite el aprendizaje de muchos valores esenciales, como responsabilidad….
- Sí, sí, sí. – Dijo él, sin dejarlo terminar lo que quería decir.

Terminaron de comer, Diego pagó la cuenta y, sin intercambiar palabra, salieron del restaurante hacia el estacionamiento. El camino de vuelta a casa de Tomás fue incluso más silencioso que el de ida al restaurante, pues ninguno habló ni por equivocación. Al llegar a casa para dejarlo, todo se redujo a un rápido "adiós" a lo que Diego no tuvo oportunidad siquiera de preguntarle cuando podrían volver a verse.

Casi siempre era lo mismo. Algunas veces podían conversar más, otras veces ni siquiera se hablaban durante toda la salida y habría dado lo mismo que fuera cada uno por su cuenta. Incluso, cuando Carmen asistía a alguna salida entre los dos, todo podía salir mucho peor. Hubo una ocasión en la que, en medio de una cena en un restaurante de comida japonesa con Carmen y su padre, Tomás se levantó de la mesa sin decir palabra y, dejando su plato a medias, salió del lugar.

Posteriormente, cuando Diego le preguntó qué había pasado, su hijo se limitó a responderle que no se sentía cómodo con la presencia de Carmen esa noche. Desde aquél incidente, su padre decidió no volver a incluir a su pareja en cualquier cosa que decidiera hacer con su hijo, con la idea de evitar malentendidos de ese estilo entre los dos.

Diego reconoce que la actitud de su hijo, su comportamiento y su forma de ser es incorrecta, pero también sabe que él no puede hacer mucho en su posición de padre, y mucho menos con la idea que tiene su hijo de él. Sobre todo porque Judith apoya a su hijo en todo lo que este diga y quiera hacer, por lo que, según Diego interpreta, Tomás no ha tenido la oportunidad de plantearse si su forma de ser es la correcta.

Pero Carmen lo veía diferente. Ella veía todo el tema de la mala actitud de Tomás como algo que corría totalmente por su cuenta, pues ya estaba lo suficientemente grande como para tomar la decisión consciente de hacer las cosas diferente. También decía que Diego, por ser su padre, era demasiado comprensivo con él, además de rebajarse por una persona que, a pesar de ser su hijo, seguía siendo alguien que no lo apreciaba en lo absoluto.

Por eso, más de una vez le insistió a su novio para que dejara de perseguir tanto a su hijo para que pudieran estar juntos, explicándole que él ya había hecho suficiente, y que ya era momento de que Tomás también pusiera de su parte. Aunque por supuesto, estaba claro que él no parecía interesarse por mejorar ninguna relación con su padre.

En el fondo, Diego estaba consciente de que su forma de llegarle a su hijo no era la adecuada, y que además, esta podría incluso empeorar la actitud y forma de ser de su hijo, sin embargo, no sabía qué más hacer. Temía mucho perderlo, pues lo amaba inmensamente, y siempre lo había visto como su más grande posesión en la vida, a pesar de todo lo malo.

Diego era un hombre que valoraba mucho la institución de la familia, y sobre todo, el valor de los hijos y del matrimonio. Es por eso que, a pesar de que la relación con su ex esposa fuera muy mala, se esforzó por permanecer casado el mayor tiempo que la relación le permitió. Lo único que podía reconfortarlo, luego de su matrimonio fallido, era la posibilidad de mantener una buena relación con su hijo, e inculcarle a él el valor de la familia que deseaba que tuviera.

Después de llevar a su hijo a casa, volvió al consultorio para poder terminar con su horario laboral. El resto de la tarde estuvo de mal humor por cómo se había desarrollado el almuerzo con su hijo. A las nueve de la noche, salió por fin a casa, donde Carmen lo esperaba.

Al atravesar la puerta, y tras apenas haberse saludado, su novia ya se había dado cuenta de que algo malo le sucedía.

- ¿Qué te pasa?, ¿pasó algo malo con Tomás?
- Sólo lo usual.
- Mi amor…. ¿qué pasó?
- Pues lo fui a buscar en el auto, y pasamos todo el camino de ida y vuelta sin hablar. Y en el restaurante, apenas hemos podido intercambiar algunas palabras. Cada vez es peor.
- Espera ¿y por qué lo fuiste a buscar tú?
- Dice que le da pereza manejar. Lleva como un mes en eso.
- ¡¿Pereza?!
- Sí, ¿por qué te sorprende?
- La pregunta es por qué no te sorprende a ti. Si a Tomás le encanta manejar, y pasó tanto tiempo pidiendo que le regalaran un auto, ¿cómo ahora va a dejar de usarlo así como así?

- No lo sé, no lo sé.

- Mira, Diego, algo tuvo que pasarle al auto, eso me parece muy extraño.

- Si así fuera su madre ya me lo habría dicho para que yo corriera con los gastos. No ha pasado nada, tranquila.

- No lo sé, Diego, eso está raro. Deberías revisarlo mejor.

- Creo que podrías estar exagerando, no pasa nada con su auto. Insisto: si así fuera, su madre ya me lo habría dicho.

- Claro, porque tu comunicación con Judith es muy buena y ella te dice muchas cosas sobre la vida de tu hijo. – Comentó ella en tono irónico.

- Mira, Carmen... no pasa nada con el auto, deja de pensar en eso. – Le dijo molesto, mientras se iba a la habitación.

Los problemas que existían entre su pareja y su hijo lo habían hecho muy celoso a las críticas entre ellos. Cualquier mal comentario de su hijo sobre Carmen era muy mal digerido, e igual sucedía con los de Carmen hacia su hijo, la diferencia era que los malestares que le generaban los comentarios de Tomás no se los expresaba a viva voz, mientras que a su pareja si se lo dejaba muy claro con su actitud.

Carmen estaba consciente de ello, por lo que últimamente había intentado no manifestarse demasiado respecto a Tomás, y lo había hecho con éxito, sólo que la situación con el auto la había alarmado lo suficiente como para hacérselo saber a su padre. A ella no dejaba de parecerle muy raro el hecho, y le molestaba que Diego no fuera capaz de darse cuenta.

Tras pocas horas la breve discusión que habían tenido quedó en el olvido, para dejarles mantener un trato cordial por el resto de la noche. Diego estaba cansado, y ella también. Se dispusieron a cenar e irse a la cama, donde ella se dispuso a leer un libro y él, a repasar los historiales de los pacientes que veía en los próximos días. No volvieron a pronunciar ni una palabra sobre el asunto de Diego en toda la noche.

11. TRES DE CASUALIDAD

En medio de un tedioso día de trabajo, Julia recibió una notificación en su teléfono de la famosa aplicación de citas, Tinder. Ella había dejado de usar la aplicación hacía un tiempo, pues a partir de ahí había conocido al hombre que abusó de ella, y aunque ella no podía culpar de todo a la aplicación, igualmente había preferido alejarse de ella por los malos recuerdos que le traía.

La notificación era un simple saludo proveniente de un perfil femenino. Julia abrió la aplicación, para encontrarse con que, aunque el nombre del perfil pertenecía a una chica, éste era utilizado por una pareja que buscaba a otra chica para realizar un trío con ella. Esto, a pesar de su mala experiencia, llamó mucho su atención.

Comenzó a pasar las fotografías exhibidas en el perfil, y se encontró con que era una pareja de estudiantes universitarios de 23 años, y ambos le resultaron muy guapos. No tuvo que pensárselo demasiado y, sin siquiera saludarlos, comenzó a planear una quedada con ellos para los próximos días.

El perfil contenía seis fotografías, en dos de ellas aparecía la pareja, también había una foto de cada uno de ellos, y otro par de fotos de cada uno en ropa interior sin mostrar su rostro. El chico era moreno, con el cabello rozado y voluminoso, y con una figura alta y fornida que podía apreciarse en la imagen sin camiseta. La chica era rubia, mucho más baja que su compañero y con una figura tierna y delgada. El hecho de que fuera una pareja compuesta por personas tan contrastantes le resultó muy atractivo a Julia.

Ella ya había realizado tríos en más de una ocasión, pero estos solían abundar por sus años universitarios, y el hecho de poder volver a hacerlo le resultaba, en cierta forma, refrescante. También había llegado a participar en una orgía en un par de ocasiones sin haberlo planeado previamente, pues estas tuvieron lugar de forma espontánea en fiestas con sus compañeros de clase de la universidad.

La espontaneidad de las orgías fue, de cierta forma, discutible, pues Julia siempre se esforzó porque sucedieran y, de hecho, lo había conseguido con éxito. En ambas situaciones la mayoría de sus compañeros se encontraban muy alcoholizados jugando verdad o reto sentados en el suelo formando un círculo, y ella solo tuvo que comenzar a introducir retos relacionados con contacto sexual en el juego, para que los otros comenzaran a imitarla, y así iniciar una cadena que desembocó en una orgía en un par de ocasiones.

Julia no sólo encontraba disfrute en practicar sexo, que de hecho era de lo que más le gustaba, pero ver a otros haciéndolo frente a ella también le resultaba muy excitante, y eso era lo que más le interesaba de tener sexo con más de una persona, la posibilidad de apreciar.

La parte divertida de apreciar también era la posibilidad de ver esas cosas especiales de cada persona siendo puestas en acción con otra persona. El hecho de que, muy probablemente, ninguna de las dos personas estaba consciente de eso que ella encontraba tan resaltante y atractivo en cada uno, le regalaba una sensación muy especial, como si ella conociera un secreto que ellos ni siquiera podían imaginar.

Sin embargo a algunas de las personas con las que participó en la orgía no les conocía esta característica especial, por lo que se dedicó a intentar descubrirla por sí misma y también desde el punto de una espectadora, y ese también era un juego que le resultaba excitante.

Tras unos pocos minutos chateando y luego de intercambiar números y crear un grupo en WhatsApp, ya habían planeado la cita. Quedaron para un par de días después y, para mala suerte de Julia, acordaron hacerlo en un motel, pues ellos querían evitar el riesgo de ir a casa de una mujer que, a fin de cuentas, no era más que una desconocida, y al ellos no contar con un lugar seguro donde poder hacerlo, ninguno de los tres tuvo más remedio.

Ese día había cerrado con una buena noticia para Julia, y al volver a casa junto a su amigo también esperó recibir pronto la buena noticia de que él partiría pronto de su apartamento. Extrañaba estar sola en casa y llevar su rutina diaria sin ninguna otra persona alrededor, más que con quienes mantenía relaciones sexuales a diario.

Esa noche había quedado con tres chicas distintas por pura casualidad. Una de ellas estaba inicialmente programada, y las otras dos quedaron para el mismo día por un cambio de agenda que tuvieron que hacer por compromisos inesperados. Esa noche recibiría a Luisa, Miriam y Cindy, en ese orden y curiosamente también ordenadas por sus edades.

Luisa era una chica joven de 24 años, quien había conocido a Julia en un bar hacía unos seis meses. Miriam era una mujer de 32 años, y la había conocido a través de unas compañeras de trabajo que había tenido anteriormente. Cindy tenía 45 años de edad, y la había conocido en una antigua página de citas hacía 7 años.

Ella había sido la primera mujer mayor con la que ella había estado, y todavía podía recordar lo emocionante que le resultaba antes de hacerlo esa primera vez que quedaron. Para la Julia de hace 7 años, la idea de estar con una chica que le llevara tantos años le generaba muchísimo morbo, pues tenía la idea de que sería una mujer experimentada con la que podría aprender muchas cosas en la cama.

Sin embargo, y para su sorpresa, Julia fue la primera mujer con la que Cindy tuvo relaciones sexuales, así que esa noche se trató de enseñar y de tener un poco de paciencia. Lo cierto es que Cindy siempre había mantenido relaciones sexuales y románticas con hombres, y no fue hasta haber entrado en su adultez que decidió por fin satisfacer su interés sexual por las mujeres, aunque los valores con los que fue criada quisieran decirle lo contrario.

Esto resultó muy destacable para Julia, sobre todo porque ella nunca se cuestionó si su gusto por las mujeres debía o no ser complacido. A sus 13 años sintió por primera vez un interés por una de sus compañeras de clase, y no encontró su atracción extraña hasta que fue violentamente rechazada por la chica cuando se atrevió a confesarle su interés.

A pesar del rechazo, y de haber aprendido que las mujeres interesadas en otras mujeres no era algo que resultara bien visto, no se atrevió a limitarse. Cualquier discusión consigo misma sobre cuál era su orientación sexual le resultaba innecesaria, pues siempre tuvo claro que le gustaban los chicos y las chicas, incluso antes de saber que existía algo como ser bisexual.

Las tres chicas con quienes había quedado para esa noche, a pesar de tener grandes diferencias de edad, no resultaban demasiado distintas a la hora de acostarse con ellas, o al menos eso le parecía a Julia. Esta impresión, totalmente subjetiva, tenía que ver sobre todo con el hecho de que las características especiales de cada una eran muy parecidas entre sí, pues eran todas características que poseían el mismo atractivo a sus intereses.

Luisa poseía una cintura increíblemente delgada, que resaltaba al encontrarse por encima de sus anchas caderas y atléticos muslos. Su pequeña cintura no sólo resultaba muy agradable a la vista de Julia, sino que el hecho de poder sujetarla por la cintura y sentir como sus manos casi podían tocarse, le resultaba muy excitante, pues le hacía sentir, de una u otra forma, poderosa.

Miriam era una mujer muy tímida, reservada y con muchas dudas respecto a si misma, y eso se notaba mucho en la cama. Cada vez que tenían sexo, ella se mostraba insegura sobre qué hacer o qué no, esto sobre todo por su dificultad para sentirse segura sobre sus propias decisiones y su incapacidad de reconocerse como una mujer sexualmente atractiva. Esto, a pesar de derivar en una sesión un poco trabajosa para Julia, también le permitía colocarse en una posición de poder por encima de su pareja, y esta posibilidad le gustaba mucho.

Por la parte de Cindy, la cosa era un poco distinta a la de las otras chicas, pues resultaba mucho más simbólica. Ya que Julia había sido la primera mujer con la que estuvo, la que cumplió por primera vez su sueño de estar con una mujer y la que le enseñó a como estar con otras, esto la puso en una posición como de aprendiz o protegida a los ojos de Julia. Ella había marcado un antes y un después en la vida de Cindy, y esto había, de cierta forma, decidido los papeles que cada una cumplía en la vida de la otra.

Aunque Cindy era mucho más creativa y atrevida en la cama que antes, esto no negaba el hecho de que ella permanecía, de una u otra manera, siguiendo los pasos que Julia iba decidiendo por delante de ellos, y tampoco el hecho de que había desarrollado cierta fidelidad hacia ella. En estos 7 años atreviéndose a estar con mujeres a placer, no había encontrado ninguna con la que le resultara tan atractivo acostarse como con Julia. No era amor, no era romance, era todo producto de una suerte de fidelidad y añoranza por quien fue la primera en cumplir su fantasía que fue censurada por tantos años de su vida.

Este hecho derivaba en que Julia pudiera, al igual que con las dos chicas con quienes había estado más temprano esa misma noche, sentirse poderosa y en una posición de autoridad por encima de sus compañeras sexuales. Nunca antes había compartido una misma noche con ellas tres, y tampoco había tenido una misma noche en la que estuviera con personas que compartieran un mismo atractivo.

Esa noche se fue a dormir reflexionando sobre cómo la posibilidad de poder, aunque fuera en un ámbito cotidiano como el sexo, le resultaba tan atractivo, y pensó en que sería bueno poder discutirlo también con su psicólogo en la sesión de mañana. También dedicó cierto tiempo a pensar en una nueva forma de quedar con sus amantes para cada noche: organizándolos por atractivos semejantes para tener una sola noche disfrutando al máximo de cada una de ellas, en personas diferentes.

12. EL OTRO PROBLEMA

El Doctor Graffé terminaba las anotaciones de su último paciente mientras esperaba que fuera la hora de atender a su siguiente paciente, Julia, quien ahora mismo estaba esperando fuera en la sala. Mientras anotaba, no podía evitar dispersar su mente en la difícil situación que era su relación con la hijo y como esta no lograba compaginarse con su actual relación de pareja. Esto solía ser un asunto latente en su radar de atención, y a veces tomaba el protagonismo frente a cualquier otro tema en el que pudiera pensar.

Dio la hora, la secretaria permitió a Julia pasar al consultorio y, tras un breve saludo, ya estaba acomodada en el que era su sillón durante una hora.

- ¿De qué vamos a hablar hoy? – Le preguntó ella.
- Pues, si no tienes algún tema que te resulte urgente discutir ahora mismo, estaba pensando en que podríamos hablar un poco más sobre lo que fue la experiencia de abuso, para poder ir hacia la razón que te tiene aquí.
- No, no hay nada más urgente en este consultorio que resolver lo de mi vaginismo.
- Muy bien, ¿por dónde quieres comenzar?
- No lo sé... supongo que por cómo empezó esa noche. Yo había quedado hacía un par de días con un hombre para tener sexo, y de hecho ya lo habíamos hecho antes, pero en esta ocasión me había dicho que quería que lo hiciéramos en su casa, cosa que antes nunca había pasado.
- ¿Y por qué quería algo así?
- Porque me dijo que ese día se quedaba solo en casa y que le gustaba mucho la idea de tenerme allá en su cama. Accedí porque ya había estado con él unas cuantas veces y pensaba que lo conocía y que no habría problema.
- ¿Y entonces qué pasó?
- Pues fui a su casa a la hora acordada y fuimos a su cama. Al inicio todo empezó bien, estábamos haciéndolo como

siempre, hasta que luego me desperté sangrando en la camilla.

- ¿Qué fue lo que te hizo?

- Me rompió las paredes internas de la vagina, los médicos me dijeron que suponen que me penetró muchas veces con algún objeto duro.

- ¿Y por qué suponen que no recuerdas nada?

- Todo indica que me drogó. Probablemente me puso a oler alguna droga para que quedara inconsciente.

- ¿Y tú antes no estabas resistiéndote a lo que hacían ni nada que pudiera desencadenar ese deseo de dejarte inconsciente?

- No, en lo absoluto. De hecho me sorprendió mucho por eso.

- ¿Y cómo te sentiste al despertarte?

- No podía comprender nada de lo que sucedía, y al momento no era capaz de recordar que había estado teniendo sexo con él siquiera. Lo primero que sentí, luego de miedo, fue esta sensación tan pesada de la que le conté anteriormente, y quise poder satisfacerme tan rápido como pudiera.

- ¿Y luego qué pasó?

- Me alteré mucho porque las enfermeras no me permitían tocarme ni levantarme, así que me sedaron para poder tranquilizarme. Unas horas después volví a despertar y el médico encargado pudo explicarme un poco lo que sucedía.

- ¿Y qué te dijo?

- Me dijo "no te preocupes, parece que fuiste víctima de abuso sexual, pero ahora estás bien, y pronto estarás mejor" y recuerdo que haber escuchado que yo había sido víctima de abuso sexual me pareció una locura. Justo ahí recordé que había estado con este hombre antes, y entonces me sentí incluso más confundida, pues con él era todo consensuado… Le pregunté al doctor como había llegado ahí y me contó lo que había pasado.

- ¿Y qué había pasado?

- Pues aparentemente él me llevó y me dejó aún inconsciente en la sala de emergencias. Ahí los doctores se hicieron cargo.

- ¿Y no lo vieron entrar? ¿no habían cámaras?
- No, nadie lo recuerda. Tampoco habían cámaras.
- ¿Y qué sentiste al darte cuenta de que una persona con la que podías sentirte segura te había hecho algo como eso?
- Me quedé perpleja, luego me sentí asombrada, y luego de unos minutos estuve preocupada por lo que le había pasado a mi vagina y por cómo podría solucionarse.
- ¿Y qué pronóstico te dieron en ese momento?
- Pues me dijeron que luego de más o menos un mes y medio todo volvería a estar bien, pero que no podía penetrarme durante ese período de tiempo.
- ¿Y cómo te sentiste con una noticia como esa?
- Volví a sentir la presión en el pecho, fue inmediato. Me comencé a sentir ansiosa, estresada, era como un torbellino que no paraba. Intenté tocarme pero de inmediato me detuvieron, así que se me salieron lágrimas de desesperación.
- ¿Dirías que la desesperación que sentías era producto de que no podías recibir penetración durante un mes y medio o de todo lo que estaba sucediéndote en ese momento?
- Era por eso de estar un mes y medio sin poder tener sexo definitivamente.
- ¿Y cómo sobrellevaste esa situación?
- Pues luego de que me dieron de alta y pude volver a casa… fue muy difícil para mí seguir las indicaciones del médico sobre no practicar penetración, pero ya me habían advertido que eso podría hacer mucho más lento el proceso de recuperación, y eso era lo que menos quería… seguí manteniendo relaciones sexuales, pero evitando es práctica. Eso fue lo que me ayudó a sobrellevar esos días, y de hecho lo que aún me ayuda, porque sigo sin poder hacerlo.
- Muy bien, entiendo. Según lo que me has dicho, entiendo que no sientes que el evento te haya afectado demasiado emocionalmente, más si las consecuencias del mismo.
- Pues sí.
- Bueno, me parece importante que comprendas que el hecho de que estas consecuencias existen es la prueba de que, indudablemente, el evento si pudo afectarte a nivel psicológico.

Inconscientemente has asociado la penetración con eventos malos, así que no la permites para poder evitar cualquier tipo de sufrimiento.

- Pero la penetración me ha dado muchas cosas buenas distintas a esta.

- Sí, pero esta última fue demasiado resaltante y ha opacado todas las anteriores.

- ¿Pero acaso todas las mujeres violadas sufren de vaginismo?

- No todas, no siempre existe este rechazo al sufrimiento como lo vives tú. – Al escucharlo, Julia se mantuvo en silencio, reflexionando sobre sus palabras.

- Me parece, Julia, – continuó el doctor – que tienes tanto un altísimo rechazo por la experiencia emocional, como un inmenso terror por las experiencias emocionales negativas. Es por eso que, como me comentabas en sesiones anteriores, te parece que vives tus emociones de forma diferente a los demás. Me parece también que tu adicción al sexo es producto de todo esto.

- ¿Pero cómo podría serlo? – Preguntó ella atónita.

- Pues, buscas compensar toda esta falta de estimulación interna, que vendría siendo la experiencia emocional, con estimulación externa, que vendría siendo el sexo. Y supongo que a lo largo de la vida has aprendido y solidificado la idea de que el sexo es una experiencia positiva, así que, teniéndole miedo a las experiencias negativas, esto parecía algo bueno a lo que aferrarte. – Julia lo escuchó con atención y permaneció unos minutos reflexionando.

- Entonces…. – dijo ella de repente - de alguna forma, el vaginismo viene siendo resultado de mi alto interés en el sexo.

- En parte. No es un resultado directo, más bien ambos son el resultado de un mismo problema que llevas enfrentando toda la vida. Tu adicción al sexo ha surgido porque es la mejor forma que encontraste, de forma inconsciente, de lidiar con esa situación.

- Vaya…. Entiendo.

- Esto que te estoy diciendo puede ser bastante difícil de

digerir inicialmente y lo entiendo. Puedes tomarte el tiempo que quieras y podemos hablarlo tanto como necesites.

- No sé por donde comenzar....

- ¿Cómo te sientes con esto que te he dicho?, ¿te parece que se ajusta a tu realidad?

- No sé cómo me siento, por ahora sólo sorprendida. Y sí, sí me parece que se ajusta, sobre todo por eso es que me mantengo tan sorprendida.... ¿y cuando empezó a pasar todo eso?

- Me parece que desde tu infancia, estos son patrones que debes tener toda tu vida siguiendo. Por lo que me contaste en la sesión en la que hablamos de tu infancia, me parece que puede ser el resultado de tu borrosa relación con tus padres y tu difícil relación con la mujer que te crio. No tuviste oportunidad de aprender cómo funcionan las emociones, te resultaban ajenas y extrañas, y de ahí pudo partir todo lo que te he explicado anteriormente.

- Creo que entiendo... ¿y ahora qué hago con eso?

- Inicialmente, digerirlo. Es algo bastante complejo, tienes que poder desentrañarlo y entenderlo por completo tu sola. Internalizar y aceptarlo es el primer paso, para eso te ayuda las sesiones de terapia. De lo demás nos iremos encargando y tomará tiempo, debes tomar esto con paciencia, hacerlo así te ayudara mucho con toda la situación.

- Está bien... pero, ¿en cuánto tiempo cree que podría comenzar a estar mejor?

- No lo sé, es incierto, pero es algo que toma un poco de tiempo y esfuerzo.

- Bueno...

- Pero bueno, Julia, por hoy hemos acabado la sesión, seguiremos conversando sobre esto la próxima vez que nos veamos.

- Está bien, doctor. Muchas gracias.

Julia salió del consultorio casi tambaleándose. Había acudido a terapia para solucionar un problema de vaginismo, y ahora el vaginismo era resultado de algo que llevaba haciendo mal durante toda su vida sin tener idea al respecto. Seguía sorprendida, pero sobre todo porque las palabras del doctor Graffé le parecía que describían muy bien su situación y como había llevado su vida durante todos estos años.

Julia pensaba que, si no fuera por el problema del vaginismo, ella prefería nunca haberse enterado sobre ese problema y pasar el resto de su vida ignorándolo, como llevaba haciéndolo todo este tiempo. Sobre todo porque le parecía que su vida iba bastante bien a pesar de ese supuesto problema que el doctor acababa de explicarle.

Su adicción al sexo le resultaba algo natural, y nunca llegó a suponerle ningún problema. Su difícil relación con las emociones no era algo que le encantara, pero era algo con lo que llevaba mucho tiempo lidiando y en cierta forma ya había aprendido a manejar para que no complicara demasiado cualquier aspecto de su vida.

El hecho de saber que tenía este problema y de reconocer que, entonces, le correspondía lidiar con él para poder curar su vaginismo, le resultaba agobiante, y no solo eso, también le daba mucha pereza pensar en todo el trabajo que el doctor había comentado que podría llevarle.

Sobre todo porque, pensaba ella, si al final del proceso estaba curada, entonces ya no tendría la necesidad de sexo que había tenido todo este tiempo, así que curar el vaginismo habría, de cierta forma, perdido su urgencia. Le resultaba irónico el hecho de que para curar su vaginismo también tendría que curar la razón por la que se le hizo tan urgente esforzarse por curarlo en primer lugar.

La idea de vivir una vida en la que el sexo no era prioridad, y en la que la planeación de sus días no girara alrededor de cuadrar citas sexuales, le resultaba extraña, ajena e imposible. Se pensó a si misma sin tener la urgencia de satisfacer su incansable deseo sexual, y fue incapaz de reconocerse. Así también se dio cuenta del papel que tenía su inmenso interés en el sexo en su personalidad, y más allá de eso, en su identidad.

Comenzó a pensar en qué podría hacer en todo el tiempo libre que le dejara el sexo, y no supo cómo responderse. A lo largo de su vida no había desarrollado ningún interés en un *hobbie*, de hecho podía llegar a considerar su trabajo como su *hobbie*. Pocas películas le interesaban, poca música le atraía, pocas reuniones sociales se le hacían atractivas.

Comenzó a cuestionarse, también, como esto implicaría tener que construir entonces una imagen completamente nueva de sí misma, y se sintió un poco aterrada, pues no tenía idea de cómo podría hacer algo como eso. Sentía que estaba demasiado adulta para eso, y le preocupaba cual podría ser el resultado de un proceso de construcción personal como ese.

Finalmente se preguntó si entonces valdría realmente la pena poner manos a la obra en todo este proceso y empezar a esforzarse por curar su vaginismo, aunque esto supusiera la posibilidad de cambiar por completo su vida como la conocía. Lo meditó por pocos segundos, y de inmediato se respondió que aunque pudiera darle miedo, aunque pudiera ser difícil, eso era lo que tenía que hacer.

13. DECISIÓN INUSUAL

El doctor Graffé terminó su última consulta para ese día y lo primero que hizo fue tomar su celular para revisar si su hijo le habría respondido el mensaje que le había escrito el día anterior. Pero, como solía suceder, su hijo lo había ignorado. Diego suspiró, reconociendo que se lo imaginaba.

Le había escrito para saludarlo y preguntarle cuando podrían volver a verse, ofreciéndole la posibilidad de ir al cine a ver una película que hacía algún tiempo Tomás le había contado que quería. Pensó que, tal vez, si le escribía para decirle algo que realmente le gustaba, podría llamar su atención, pues sabía muy bien que el simple hecho de salir a compartir con su papá no se le hacía demasiado atractivo.

Camino a casa, estuvo pensando en el complicado caso de su paciente, Julia. Lo cierto es que era, hasta ahora, el caso más complejo con el que había lidiado en su vida profesional. No sólo por lo difícil que resultaba tratar a una paciente como ella, sino porque el hecho de tener que enfrentarse con una víctima de abuso sexual, le revolvía el estómago.

Él, como psicólogo, había visto casos de víctimas de todo tipo de abusos, pero nunca ninguno logró calar tan profundo como los abusos de tipo sexual. Esto, sobre todo, porque habían sido los más abundantes durante sus prácticas profesionales, lo que le hizo concientizar el hecho de que es un problema mucho más común de lo que a las personas les gusta hablar, y no sólo eso, los culpables suelen quedar impunes, tal y como pasaba con Julia.

Ciertamente, parecía que ella no había hecho demasiado esfuerzo para que se castigara al culpable, y él podía entenderlo, pues reconocía que esto era producto de la forma de ser de su paciente, puesto que no es una mujer vengativa, por el simple hecho de que los otros le importan muy poco, o más bien, nada. Pero, para él, el hecho de que un violador siga suelto y viva a sus anchas, le resultaba demasiado indignante.

Más de una vez recibió en consulta jóvenes que habían sido violadas por sus familiares y que, por presión del resto de la familia, nunca denunciaron. También atendió a mujeres cuyas denuncias nunca fueron atendidas y que, de hecho, recibieron peores consecuencias cuando el culpable se enteró de sus intenciones de denunciar. Todos estos casos y todas las historias de sus colegas sobre este tema, era algo que había desarrollado en él una sensibilidad especial al respecto.

Al llegar a casa, Carmen estaba en la sala revisando su teléfono. Él se le acercó para poder saludarla y discutir sobre lo que habían hecho ese día. En medio de los típicos comentarios del trabajo, la comida, la gente, y algún detalle suelto sobre política, Diego le contó a su pareja sobre la no respuesta de su hijo, por enésima vez.

- Mira, Diego, es que te lo había dicho antes: no creo que sea justo que continúes tomando esa posición con él. – Le dijo ella como respuesta.
- Sí, pero entiéndeme por favor, es mi hijo y no puedo perderlo.
- Si tienes que rogarle para verlo, entonces ya lo has perdido hace mucho tiempo, Diego.
- Creo que tienes razón. – Le dijo él en medio de un suspiro de tristeza. – Es sólo que, creo que he querido fingir que realmente no lo he perdido y que aún hay oportunidad.
- A ver, si puede haber oportunidad. – Respondió ella, acercándose a él y colocándole una palma en el hombro. – Es sólo que ya no tiene que depender de ti, porque tú has hecho todo por esa relación hasta ahora, y una relación no es de una sola persona.
- Lo sé muy bien, pero es muy difícil.
- Sé que es difícil, Diego, lo entiendo muy bien. Y lamento mucho decírtelo yo, pero es que entiende, para mí también es

difícil verte en esta situación, por eso tengo que decírtelo, es que si no nadie más va a decírtelo, mucho menos Tomás.

- Sí, sí... gracias por decírmelo y hablar conmigo sobre esto
- Yo quiero lo mejor para ti, y sé que lo mejor para ti es tu hijo, pero es que no puede depender totalmente de ti.
- Lo sé, lo sé. – Le dijo él, con aire tristón. Carmen se acercó mucho más a él y lo abrazó con fuerza.

Julia conducía a toda velocidad por la autopista con el tiempo en su contra. Iba hacia el motel a encontrarse con la pareja con quienes había acordado un trío hacía pocos días. Estaba entusiasmada, la cita que había concertado con ellos le hacía sentir mucho más joven, como si hubiera retrocedido en el tiempo hasta sus años universitarios. Sobre todo el solo hecho de poder sentirse entusiasmada la tenía, además, asombrada. No era un sentimiento demasiado nítido ni penetrante, pero existía con suficiente intensidad como para saber que estaba ahí.

Había pasado por casa para hacer unas cuantas cosas. Entre ellas, retocarse un poco el maquillaje y buscar unos cuantos lubricantes y un dildo para que pudieran jugar un poco. En casa estaba Juan, y la recibió con una broma de sus típicas, pues ella ya le había comentado a donde iba, y ya comenzaba a arrepentirse. Prefirió seguirle un poco el juego y apresurarse a salir de casa.

Al llegar al motel, revisó su celular para comprobar si se habían comunicado con ella. Era justamente la hora pautada, ni un minuto más, ni uno menos, y ella ya estaba en el lobby esperándolos para pedir la habitación. Justo en ese momento una pareja de jóvenes cruzó la puerta, eran los más chicos de toda la sala, así que ella pudo reconocerlos de inmediato. Ellos, al encontrarse entre tantas mujeres que podrían ser Julia, no lograban ubicarla todavía.

Ella se les acercó a saludarlos. Julia pudo sentir que la chica era muy tímida. Se mantenía cabizbaja, hablaba con un tono de voz bajo, y hacía muy poco contacto visual. Su rostro resultaba muy tierno a la vista, así como también su figura y actitud. Su novio, por otro lado, se había mostrado increíblemente extrovertido desde el primer momento. Saludó a Julia como si fuera una vieja amiga, y se expresaba con una voz tan fuerte que casi parecía que estuviera gritando.

Pidieron la habitación sin mayores problemas y fueron de inmediato. En el camino alcanzaron a hablar un poco de las clases universitarias de ellos y del trabajo de Julia, pero no de mucho más. Al abrir la puerta y encontrarse con la cama, ninguno de los tres sabía muy bien cómo empezar.

La chica, cuyo nombre era Raquel, apenas atravesó el umbral, entró directamente al baño. Su novio, Gerardo, y Julia permanecieron sentados en la cama. Ella aprovechó el momento solos para preguntarle si su chica se encontraba bien, a lo que él respondió sin pensar que todo con ambos estaba muy bien.

Estando ahí, en medio de la habitación, Julia cayó en cuenta de que no les había comentado sobre su vaginismo cuando cuadraron el encuentro. Le preocupó un poco, pues pensó que tal vez ahora podrían echarse para atrás, pero le pareció que era más probable que se fueran si se los decía ahora, que si se daban cuenta cuando estuvieran en el meollo del asunto, pues tal vez podrían tenerle un poco de empatía y continuar con otras cosas.

La chica salió del baño y se sentó junto a Gerardo. Hubo un breve silencio en el que todos se miraron las caras entre ellos. Julia, quien comenzaba a pensar que nunca comenzarían, se levantó, se posicionó junto a Raquel, y colocó su mano sobre su pierna. Llevaba puesta una falda de color azul marino que iba por encima de la rodilla, sobre la cual Julia había puesto la mano inicialmente, para luego comenzar a subirla arrastrando con cuidado la tela y acariciando su muslo. Gerardo solo miraba la escena.

Raquel miraba la mano de Julia sin perderla de vista, pero aún no se atrevía a mirarla a los ojos. Gerardo se acercó un poco a su novia, tomó su cabello y lo colocó sobre su espalda, para dejar su cuello a la vista y poder besarlo. La respuesta de ella fue acercar su mano hasta su pene y acariciarlo para comenzar a ponérselo duro.

Julia acercó su mano hasta la parte interior del muslo de Raquel, que se podía sentir mucho más caliente que el resto, deslizó su mano con cuidado hasta poder sentir su ropa interior con la punta de sus dedos. Bastó un ligero toque de la tela para darse cuenta de que era de encaje. La idea de que una muchacha que resultaba tan tierna utilizara lencería de ese tipo, le parecía excitante. Raquel se estremeció un poco, a lo que Julia respondió retirando su mano.

Gerardo dejó lo que estaba haciendo y miró a Raquel con ojos de duda, ella apartó la mirada y comenzó a mirar hacia el frente. Julia no hacía nada, no comprendía demasiado bien lo que sucedía.

- ¿Todo bien? – Le preguntó él.
- Sí... todo bien. – Respondió Raquel.
- ¿Estás segura? – Volvió a preguntar.
- Sí, sí, sí – Dijo ella mientras afirmaba con un movimiento de cabeza.
- Bueno, entonces vamos. – Dijo él, en esta ocasión, dirigiéndose a ambas.

Julia se sintió dudosa al respecto, pero no sabía muy bien como manipular esa situación. Parecía muy claro que la chica no se sentía cómoda, pero su novio ignoraba todas las señales, que eran claras hasta para Julia, quien era sólo una desconocida, y se mantenía insistente con que se podía proseguir.

Gerardo se acercó al cuello de Raquel y continuó besándola, ella continuó tocándolo sin decir nada. Julia tomó la cara de la chica por la barbilla con cuidado y la movió hacia ella para mirarla de frente, ella cedió con facilidad y por fin se encontró tan cerca con la cara de ella. Inicialmente, Julia había hecho esta movida para acercarla y poder besarla, pero al ver su rostro pudo ver una ligera seña de que la cosa no iba bien, así que se dio cuenta de que eso no podía continuar.

- ¿Están seguros de que ustedes hablaron sobre esto? – Preguntó.
- ¿Por qué lo preguntas? – Espetó Gerardo.
- Porque no me parece que Raquel lo quiera realmente.
- Ella me dijo que sí que lo quería.
- No lo sé, no me parece. Tengo la impresión de que ella sólo quiere acostarse contigo, pero dudo de que ella quiera realmente un trío.

Raquel suspiró y se reacomodó la falda de nuevo para que volviera a cubrir sus muslos por completo. Se mantuvo cabizbaja y entonces dijo:

- Pensé que si quería, tú te veías tan ilusionado y mostrabas tanto interés en estar con dos mujeres que se me hizo imposible no querer complacerte. Te dije que si porque realmente pensé que podría hacerlo, pero estando aquí me doy cuenta que no puedo. No me gustan las mujeres, no quiero estar con ella, y tampoco quiero que tú lo hagas, yo quiero que estés solo conmigo.
- Pero, ¿por qué no me dijiste antes? – Le preguntó él.
- Porque pensé que si podía hacerlo, pensé que podría pero no, la sola idea de intentarlo me desagrada... Julia, en realidad lo siento mucho, esto no es personal, no me gustas tú ni ninguna otra mujer en el mundo.
- Conmigo no te disculpes. – Dijo ella. – Por mí no hay problema. Desde que te vi me quedó claro de que algo no iba bien, pero al verlo a él tan seguro pensé que no habría

problema. Podríamos haber dejado esto incluso antes, si fue claro para mí, también debió serlo para ti. – Esta última frase la dijo mirando directamente hacia Gerardo. Raquel se mantuvo en silencio.

- Sí, es verdad.... Debí darme cuenta. – Dijo él, con un tono de voz de derrota. Se escuchaba decepcionado.

- Miren, yo me voy, no tengo nada que hacer aquí. Arreglen eso. – Dijo Julia. Tomó sus cosas y se fue sin decir más, dejándolos solos en la habitación.

"Al menos en casa está Juan" pensó ella mientras iba saliendo del motel. Sí, lamentaba no poder estar con ellos y cumplir esa fantasía que traía cuando iba de camino, pero estaba consciente de que no podía acostarse con alguien que no se quería acostar con ella, le parecía terrible, sobre todo porque ella misma había, en cierta forma, pasado por algo parecido, aunque no exactamente igual, pues ella inicialmente si había accedido a tener relaciones sexuales.

Recordó lo que Andrés le había dicho hacía un tiempo, sobre cómo ella había abusado de él. Por un momento el mundo se le puso de cabeza, pues se dio cuenta de cómo, ante una situación muy parecida, había decidido dos cosas muy diferentes. El novio de Raquel no prestaba atención a las señales de su novia, y ella podría haber continuado con el trío sin decir nada, pues ninguno de ellos dos mostraba interés en detenerse.

Julia no sólo se encontraba sorprendida por lo distinta que había sido su reacción, sino que además, se sentía muy molesta ante la actitud que había tenido Gerardo con su novia, pues el parecía querer continuar aunque eso fuera claramente un abuso contra Raquel. Ella nunca dijo explícitamente que no, sino hasta el último momento, pero no parecía justo que él quisiera continuar con eso aunque su novia no estuviera cómoda.

Pensó que, tal vez, lo que Andrés le había dicho y el hecho de haber sufrido abuso, la había sensibilizado de alguna manera, y realmente podía ser. O bueno, al menos la había sensibilizado respecto al consentimiento sexual y los distintos abusos que se pueden cometer.

Al llegar a casa, Juan corrió hacia la puerta un poco acelerado.

- ¿Qué haces aquí tan pronto? - Le dijo. - Pensé que tardarías al menos una hora más y que alguien más había entrado a la casa.
- Pues... al final la chica no quiso.
- ¿No quiso? ¿y entonces por qué fue allá en un principio?
- Pues no le dijo la verdad a su novio y se iba a reforzar por intentarlo aunque realmente no lo quisiera.
- Pero si había llegado tan lejos podrías haberla seducido o algo como eso ¿no? Creo que eso podría haber funcionado.
- No, no quise. No me parecía bien. Su novio se mantenía insistente aunque fuera claro que ella no quería nada, ¿cómo iba a seducirla en una situación como esa?
- Tal y como tú lo sabes hacer muy bien, tal vez al final se lo disfrutaba.
- No no, ella no quería. Era mejor dejarlo así.
- Vaya, ¿te estás escuchando? - Dijo el llevándose las manos a la cabeza. - Pareciera que en serio te importaba lo que la chica quería o no.
- No me importaba, no como tal, pero no quería acostarme con una chica que claramente se sentiría mal haciéndolo.
- Julia, estoy genuinamente sorprendido con lo que estás diciendo. - Dijo él, aún sin bajar las manos de su cabeza. - Te importaba lo que ella estuviera sintiendo.
- Mira Juan, yo no iba a abusar de ella.
- No, no lo reduzca sólo a eso. ¿Te importó no hacerla sentir mal?
- Sí, claro, en parte.
- ¿Acaso lo que te dije hace días caló tan hondo en ti?
- No te emociones, esto no es gracias a ti así que no tienes por qué tómatelo a pecho.
- ¿Entonces por qué es?

- Mira, no lo sé, sólo sucede. Creo que podría tener que ver con la terapia, me ha ayudado a entender algunas cosas. Y bueno, también con las cosas que me han pasado.

- Bueno, ¿y cómo estás tú? ¿sientes que la terapia y eso están siendo de ayuda?

- Pues, creo que va bien, la verdad es que me siento bien.

- ¿Y el vaginismo?

- Pues, igual creo yo.

- ¿Pero no me dijiste que va todo bien?

- Es que eso va a tomar más tiempo, por ahora estamos tratando todo para que el vaginismo pueda curarse, la razón por la que está es demasiado complicada.

- ¿Y cómo cuánto tiempo tomará? - le preguntó mientras se acercaba a ella.

- Mira, no me ha dado un estimado.

- Es que - comenzó a decir, mientras se acercaba más a ella - extraño tanto poder cogerte como solía hacerlo...

Julia le dirigió una sonrisa traviesa, pues ya se había dado cuenta de qué estaba haciendo. Juan se acercó todavía más, haciendo que sus labios estuvieran casi a punto de tocarse. Ahí la mantuvo durante breves segundos, sólo para tentarla, hasta que finalmente la besó.

Comenzaron a acariciarse, ella llevo sus manos a la espalda de él, y él llevó las suyas a sus senos. Se besaron intensamente, sin dejar siquiera un espacio para que alguno de los dos respirara, pues sentían que no hacía falta estando donde estaban.

En un momento, Julia sintió que sus ansias podían más que ella, así que se alejó de él, lo tomó por una mano y se lo llevó de inmediato a la que, por ahora, iba a ser su habitación. Se quitaron la ropa el uno al otro, desesperados por ver y sentir al otro desnudo.

Se tiraron en la cama, paseando las manos por la piel del otro, como intentando descubrirse, como si no hubiera nada más en el mundo que ellos dos y sus ganas de estar juntos. Juan acostó a Julia boca arriba, abrió sus piernas sin ningún cuidado y comenzó a besar el interior de sus muslos, dibujando el camino a seguir hasta llegar a su vagina, que permanecía húmeda y expectante.

Con cuidado, y con toda la intención de poder hacerlo bien, comenzó a besarla. Empezó por su clítoris, en la parte superior de todo, y comenzó a descender con su lengua y sus labios, humedeciéndola por completo. Se detuvo en el perineo y, tras hacer un breve contacto visual con ella, separó sus nalgas con cuidado y la besó intensamente.

Julia cerró sus ojos, pues no quería tener que concentrarse en nada diferente a las sensaciones que estaba teniendo en ese momento. Su pelvis y piernas se retorcían de placer con cada uno de los movimientos de Juan. El hecho de que él estuviera ahí le parecía perverso, lo que la excitaba mucho más.

Pronto, volvió a subir sus labios a la entrada de la vagina de Julia, para percibir lo húmeda que estaba. Comenzó a besarla, como si quisiera poder comérsela completa. Julia gemía intensamente, y comenzó a retorcerse de forma aún más intensa. Juan subió sus labios hacia el clítoris, sabiendo que pronto la haría acabar, y así fue: Julia acabó casi de inmediato en medio de un coro de gemidos.

Juan se acercó a sus labios y comenzó a besarla. Ella tomó su pene erecto con una de sus manos y comenzó a acariciarlo con la intención de tentarlo tal como él había hecho con el beso anteriormente. Juan se sonrío, porque lo sabía.

Luego de un poco de juego para molestarle, ella se acomodó y acercó sus labios a sus testículos, mientras continuaba acariciando su pene con su mano. Él comenzó a respirar más profundamente, como si quisiera gemir y no pudiera. Ella, se sonreía y se relamía.

Comenzó a tocar la punta de la cabeza de su pene con un dedo, sintiendo lo mojado que estaba, y eso hizo que no pudiera resistirse más. Comenzó a pasar si lengua desde la base del pene hasta la punta, recorriéndolo por completo, tratando de hacer una introducción a lo que pasaría después.

Juan trató de sostener la mirada de ella, con la intención de hacerle una seña de que ya no podía soportarlo más, a lo que Julia se apiadó de él y, sin mayor esfuerzo, se lo metió completo en la boca, permitiendo que la punta acariciara ligeramente su garganta, y comenzó a introducirlo y sacarlo de forma rítmica.

Tras unos pocos movimientos, el ya no pudo soportarlo y, sin siquiera avisar, acabó en su boca, mientras ella se dedicaba a introducirlo en su garganta tanto como pudiera. Juan emitió un gemido suave y que demostraba su complacencia, estaba increíblemente satisfecho.

Julia se levantó de inmediato a buscar el vibrador que había llevado para el motel, mientras Juan permanecía acostado en la cama, sintiéndose agotado. Ella se echó a su lado y comenzó a masturbarse con su vibrador. El, desde donde estaba, la miraba con sigilo.

Tras unos pocos minutos, ya había tenido su segundo orgasmo de la noche, y tras repetir la misma operación en tres oportunidades más, devolvió el vibrador a su lugar, cerrando la noche con cinco orgasmos y sintiéndose, al menos por ahora, satisfecha.

Él, que permanecía acostado en el mismo lugar y no había dejado de mirarla, le preguntó:

- ¿Puedo dormir en esta cama?
- Bueno, ya que estas ahí, sí, pero sólo por esta noche. No me importa que te quedes hoy, pero debes entender que esta cama, esta habitación, no es para que la gente con la que me

acuesto duerma.

- Pero yo no soy una de las personas con la que te acuestas, ¿no?

- Eh, si lo eres, acabamos de estar juntos.

- Claro, pero me refiero a que, además de que tengamos eso de vez en cuando, soy tu amigo, ¿no?

- Pues... - a Julia la descolocó un poco su pregunta - ...sí, sí somos amigos. La realidad es que, también por eso estás quedándote en mi casa y ahora, durmiendo acá.

- Sólo quería escucharlo. - Le dijo mientras le giñaba un ojo. Julia soltó una pequeña carcajada mientras se disponía a salir de la habitación.

- Oye. - Le llamó él.

- ¿Qué?

- ¿Mañana puedes despertarme para ir a trabajar? No tengo mi celular acá y no pienso levantarme para ponerme la alarma.

- Está bien. - Dijo ella en medio de un gruñido.

14. SEGUIMOS INDAGANDO

- ¿Qué es lo que te disgusta de que me quede a dormir en esa habitación? - Le preguntó Juan en medio del desayuno a la mañana siguiente.

- Mira, no lo tomes personal, pero el hecho de que estés aquí de alguna forma me recuerda a un establecimiento de compromiso, y es algo que no quiero en lo más mínimo...

- Y yo estoy casado. - Espetó él.

- Si, está claro. La cosa es que, esa cama, de alguna manera representa mi libertad sexual, o más bien, mi libertad en general, porque el sexo es prácticamente la única faceta de mi vida en la que soy completamente libre. Entonces, el hecho de que tú, uno de los hombres con quienes me acuesto, se quede ahí, es como ir totalmente en contra de lo que realmente es esa habitación.

- Pero igualmente permanezco aquí en tu casa, solo que en la sala. Y a ver, tu no me ves durmiendo en la habitación como tal.

- Mira, Juan….

- No, no creas que estoy reclamándote porque quiero quedarme en esa habitación, es sólo que me da curiosidad la razón por la que tienes esa norma. Yo aquí estoy pidiéndote un favor vaya, sería el colmo ponerme a exigir.

- Bueno, está bien. Igualmente, ¿qué has planeado respecto a tu esposa?

- Aún nada. Ella no me quiere ahí, a este punto me parece que lo mejor sería divorciarme. No creo que el matrimonio pueda arreglarse luego de algo como esto.

- Pienso igual que tú, y me parece muy bien que tú mismo llegues a esa conclusión.

- Llegué hace mucho tiempo, es sólo que no es algo fácil de asumir, mucho menos de expresar a viva voz como estoy haciendo ahora.

- Muy bien y … ¿cómo hablarás con ella?

- No lo sé, supongo que eventualmente le llamaré y responderá, no me puede estar esquivando por el resto de su vida.

- Y ¿dónde vivirás?

- Supongo que ella se quedará con el apartamento, la verdad a este punto me da pereza pelear por él. Tendré que ponerme a buscar un apartamento para mí, pues no puedo quedarme aquí contigo para siempre.

- Pues, no, no puedes. - Dijo ella tratando de hacerlo sonar de la forma más amable.

- Tranquila, me iré antes de que tengas ganas de echarme.

"Pues es un poco tarde para eso". Pensó ella para sus adentros. Ciertamente, a pesar de lo mucho que le desagradaba la presencia de otra persona en su casa por mucho tiempo, y más aún si era uno de sus amantes, el hecho de tenerlo ahí y conversar eventualmente respecto a sus cosas, le comenzaba a agradar, sobre todo por la costumbre.

Ahora había desarrollado un pequeño sentido de amistad con él, y se sentía bien con la posibilidad de ayudarlo mientras estuviera en este problema con su esposa. También se sentía bien compartiendo un poco de su intimidad sentimental, o de la poca que había, con él, y también le gustaba poder recibir la de él, aunque no estuviera muy segura de que podría hacer con eso para hacerlo sentir mejor.

El resto del día fue como cualquier otro. En el trabajo, como todos los otros días, se esforzaron por no demostrar demasiado el inmenso compañerismo que se tiran ambos entre manos. Preferían dejar a sus compañeros de la oficina fuera del hecho de que ahora mismo, por distintas circunstancias, estaban viviendo juntos.

Al final del día, y como correspondía, Juan se fue a casa y ella se fue en su auto para el consultorio del doctor Graffé para acudir a su consulta respectiva. Llegó justo a tiempo para poder ser atendida, así que pasó directamente a la sala y, tras saludar brevemente al doctor, se sentó en su diván.

- ¿De qué vamos a hablar hoy? - Le preguntó ella con un tono alegre.
- Te noto un poco entusiasmada, ¿o acaso me equivoco?
- No, en realidad si lo estoy. Ahora mismo me siento bien por algo que sucedió.
- ¿Qué sucedió?
- No sé muy bien cómo resumir el hecho, pero podría decir que pude evidenciar algo de progreso en mi persona.
- ¿En qué ámbito y por qué?
- Diría que en el ámbito social, y la razón no la sé muy bien. No sé hasta que punto debérsela a la terapia, puesto que creo que podría ser más bien producto de mi crecimiento, de mi aprendizaje.
- Bueno, cualquier cambio positivo es bienvenido y resulta bueno también para la terapia. Podrías decirme ¿qué sucedió?
- No quiero entretenerme demasiado con esto doctor, pero, tomé una decisión que me ha hecho sentir mejor conmigo misma, y ha sido muy diferente a la que tomé hace años ante una situación muy parecida.
- Me alegra saberlo, ¿de qué forma te hace sentir mejor contigo misma?
- No sé muy bien cómo explicarlo en realidad. Pero, podría decir que no consigo ninguna razón ahora mismo para que me pese la conciencia, y también siento que hice lo correcto.
- Eso está bien, me parece un gran avance que puedas reconocer ese tipo de sentimientos en ti misma.
- Gracias, doctor.
- Por cierto, ¿cómo te has sentido respecto a lo que conversamos la última vez?
- Vaya pues, no lo sé. Tranquila. En cierta forma considero que he podido digerir lo que realmente significa asumir esta tarea y, además, me he preparado un poco para ella.
- ¿De qué forma?
- Entendiendo que debo ser paciente y que, aunque supondrá grandes cambios en mi vida que podrían sacarme de mi zona de *confort*, es lo que debo hacer.
- Me alegra que lo veas así. Por cierto, quería preguntarte

un poco más respecto al episodio de abuso, no tanto sobre el evento, pero si sobre como llegaste hasta esa situación.

- Bueno, dígame sus dudas.

- ¿Cómo lo conociste?

- Con Tinder, una aplicación de citas.

- ¿Ya habías conocido personas utilizándola?

- Si, a unas cuantas. De hecho, con él ya había quedado anteriormente, por eso fui confiada a su casa, no pensé que sucedería nada malo.

- Y cuando lo viste antes ¿nunca notaste nada extraño?

- En realidad no. Era bastante antipático, pero eso no es nada raro.

- ¿Cómo se llama?

- Tato.

- ¿Ese es su nombre?

- Supongo que no su nombre real, pero si el nombre con el que se presentó y con el que estuve tratándolo durante ese tiempo.

- ¿Y un apellido no tienes?

- No, sino denunciarlo habría sido demasiado sencillo.

- ¿Y recuerdas donde está su casa?

- No, pues no fui conduciendo para allá. Recuerdo un poco la zona, pero no fue suficiente para la policía, ya sabe cómo va eso.

- ¿Y cómo fue que te llevó a la clínica? ¿en taxi?

- No, fue en su propio auto según parece.

- ¿Y por qué no miraron las cámaras del estacionamiento o entrada para ver la placa?

- Yo lo mencioné a los policías, pero como le dije, se lavaron las manos con mi caso. ¿Realmente tenemos que seguir hablando sobre esto? Me molesta recordar el pobre trabajo de la estación. Como les expliqué que yo había llegado a su casa por decisión propia, no me tomaron en serio. A este punto no me importa si paga o no lo que me hizo.

- No es cuestión de que pague o no, es que hay un abusador libre en la calle, es peligroso para ti y para todas las mujeres que se le crucen.

- Lo sé, pero a estas alturas no es mi responsabilidad hacer que él no haga daño a nadie. Intenté encerrarlo y no lo logré.

- Si, lo sé muy bien, pero sólo quería saber que tan lejos habías llegado con eso.

- No demasiado. Como le dije, no me tomaron en serio y dejaron mi caso ir.

- Bueno, vale…. Solo una duda más: ¿mostraste alguna fotografía en la estación?

- ¿De él? No tenía ninguna. Ni siquiera las de su perfil de Tinder, lo borró y no podía acceder a ninguna fotografía. Estuve buscándolo como "Tato" en distintas redes sociales, pero no encontré ningún perfil que tuviera fotos de él

- ¿Y no se los describiste o algo así?

- De hecho sí, ahí tomaron nota de lo que les dije. Pero, de nuevo, se lavaron las manos.

- Bueno, está bien. Es sólo que me parece justo que pudiéramos hacer algo para que nadie más pasara por lo que pasaste o peor a manos de él.

- Entiendo.

- Pero tranquila. ¿Hay algo que quieras comentar en esta sesión para discutirlo?

- Pues no me viene nada a la cabeza ahora mismo en realidad.

- Muy bien, entonces aprovecho para preguntarte, ¿en qué momento comenzaste a estar consciente de tu propia vida emocional?, ¿puedes recordarlo?

- Pues…. No sé si fue la primera vez en la que estuve consciente de ella, pero la vez que más recuerdo ahora mismo es una en la que, por primera vez, caí en cuenta de que tal vez los otros sentían cosas de forma distinta a mí. Fue cuando estaba en la primaria, tal vez con seis años. Había peleado con otra niña del salón y nos habían castigado, nos sacaron del salón de clase y nos regañaron, según recuerdo con mucha dureza. La niña que estaba junto a mí se mostraba destrozada por el regaño y por el hecho de haber sido sacada de clase, y lloraba sin poder detenerse. Yo, por mi parte, me mantenía bien. La verdad es que eso no me impactaba en lo más mínimo.

Cuando la profesora se fue y nos dejó solas fuera del salón, recuerdo que la chica me preguntó, en medio de un llanto, que por qué yo no estaba triste o molesta y la verdad es que no fui capaz de responderle. Recuerdo que la vi, ahogada en llanto, mientras a mí no me importaba nada de lo que sucedía, y entendí que había algo diferente en mi

- ¿Cuántas veces te pasó algo como eso en tu infancia?
- En muchas. Puedo recordar unas cuatro ocasiones más, en distintos ámbitos. Una vez me gané un premio por buen desempeño o algo como eso, y no sentí ni la más mínima pizca de emoción, y no podía entender por qué mi profesora de clase estaba tan entusiasmada al respecto tampoco.
- ¿Y qué pensabas sobre eso?
- No le daba demasiadas vueltas. Cuando cosas como esas sucedían yo sólo me asombraba, y no podía comprender. Pensaba que tal vez yo no entendía muchas cosas que los otros sí.
- ¿Y con tus padres te paso algo así alguna vez?
- Mmmm... no que pueda recordar ahora mismo. Mis papás nunca fueron demasiado expresivos conmigo, no tenía nada de que sorprenderme.
- ¿Cómo eran sus interacciones contigo?
- Diría que bastante breves y sobrias.
- ¿A qué te refieres?
- No sé muy bien cómo explicarlo. Pero diría que siempre se mantuvieron bastante al límite conmigo. Nunca los vi demasiado entusiasmados, ni demasiado tristes. Mucho menos hablaron conmigo sobre esas cosas. Desconozco qué podría pensar mi mamá o mi papá sobre la vida emocional como tal
- Entiendo ¿Y con la mujer que te cuidaba?
- Era más o menos lo mismo. Nuestra relación siempre fue bastante profesional, si es que podríamos decirle de esa manera. No había demasiado espacio para nada.
- Muy bien, entiendo, ¿y recuerdas tus primeras amistades de la infancia?
- Si, las recuerdo bien porque no fueron demasiadas, creo que eso se debe sobre todo a que en realidad siempre preferí

andar sola, pues a eso estaba acostumbrada, ya que soy hija única y en casa siempre iba de mi cuenta…. Tuve un par de amigas en los primeros años de la escuela, pero recuerdo que luego de un tiempo de ser amigas comenzaron a alejarse de mí y nunca supe cuál era la razón. Simplemente un día dejaron de hablarme definitivamente. Es extraño, hoy en día creo que podrían ser cosas de niños, pues realmente no recuerdo que yo les haya hecho algo como para que se alejaran de mí.

- Entiendo.

- Luego, más o menos un año después, recuerdo que tuve otra amiga, que también era de la escuela. Esa amistad fue más o menos duradera, recuerdo que incluso alguna vez fue a mi casa y jugamos muñecas una tarde. Sin embargo, dejamos de hablar cuando una vez yo entre a tocarme en el baño del colegio y ella me preguntó desde fuera qué estaba haciendo, a lo que yo le respondí con sinceridad: "me toco". Recuerdo que al día siguiente también llegó sin hablarme. En ese entonces no lo comprendí, hoy en día imagino que le contó a sus padres sobre mi respuesta y ellos le dijeron que dejase de ser mi amiga.

- ¿Y cómo te sentiste cuando dejó de hablar contigo?

- Confundida. Recuerdo que me acercaba a hablarle y ella simplemente se iba, sin decirme nada. De hecho, recuerdo que le pregunté sobre esto a la profesora del salón. Un día al final de la clase, me acerqué a donde estaba y le pregunté si sabría porque mi amiga no quería hablarme, a lo que ella respondió que "tal vez yo le había hecho algo y que debía pensar que era". Pasé un buen tiempo preguntándome qué pude haberle hecho, y nunca supe, porque claro, nunca l2 hice nada, sólo que sus padres querían que me alejara de ella.

- ¿Y alguna vez tuviste una de estas experiencias en las que no comprendías la emocionalidad del otro con ella?

- No que recuerde, de hecho. Es muy probable que si haya sucedido, pero no fue lo suficientemente impactante como para que yo lo recuerde. Tal vez por eso éramos buenas amigas

- ¿Y cuándo comenzaste a crecer? ¿tuviste amigos?

- Si, tampoco nada demasiado duradero. Me he cambiado de escuela un par de veces por mudanzas o por simple gusto de mis padres, así que eso dificultó un poco más que yo pudiera establecer amistades. Sin embargo, como creo que anteriormente habría podido contarlo, tuve un novio durante mi adolescencia. Creo que para esa época ya había dejado de sorprenderme el hecho de que las personas podían sentir y expresar cosas muy distintas a las mías, e incluso había olvidado el hecho de que yo podía diferir tanto de las personas en ese aspecto. Tal vez eso me ayudó a establecer esa relación, aunque claro, éramos niños, no sabíamos muy bien lo que hacíamos.

- ¿Y estabas enamorada?
- No lo sé. El concepto de enamoramiento es un poco difícil para mí....
- Bueno, ahora mismo se nos ha terminado la sesión, ¿te parece si lo dejamos para la próxima?
- Muy bien, estoy de acuerdo.

Tras dar por terminada la sesión y de despedirse, Julia regresó rápido a casa, pues no olvidaba que esa noche, como siempre, había quedado con tres personas en su casa.

Al terminar con todas las sesiones programadas para ese día y estar de vuelta en casa, Diego Graffé llegó a casa con una pregunta para Carmen.

- ¿Sabes cómo funciona Tinder?
- No, no tengo ni idea ¿por qué?, ¿a qué viene eso?
- Es que tengo una paciente que sufrió de abuso sexual y su denuncia no fue tomada en cuenta en la policía. Me dijo que había conocido al culpable utilizando Tinder.
- ¿Y para qué quieres saber cómo funciona Tinder?
- Pues, quisiera saber si la aplicación es la que elige, basándose en algún algoritmo, quienes se comunican con quien. Quisiera saber cómo llegó a él utilizando la aplicación.
- ¿Qué estás planeando? - Le preguntó ella sorprendida.
- No lo sé. Por ahora sólo quiero saber.
- Pero, espera... ¿cómo es que no han tomado en cuenta

la denuncia?

- Pues, ya sabes que el sistema judicial en este país es una mierda.

- Tienes razón, y ¿meter las manos en un asunto como este con una paciente no sería antiético, Diego? - Dijo con voz severa.

- No lo sé. Podría ser. Igualmente, por ahora sólo quiero saber cómo funciona Tinder.

- "Por ahora" dices, "por ahora". Intenta ir con cuidado en estos asuntos.

- A ver, tampoco es que voy a abrir una investigación policíaca.

- Eso espero. Diego, entiendo tu intolerancia con las injusticias, pero la realidad es que este no es tu lugar.

- Lo sé, lo sé…. - Permaneció pensativo durante unos cuantos segundos, y luego añadió - tranquila, gracias por preocuparte. Me arreglaré para ir a la cama.

Antes de irse se acercó a Carmen y le plantó un suave beso en su mejilla para despedirse. Ella no se negó, pero le respondió con un gesto que le dejó muy claro su desencanto con la conversación que acababan de tener. Al irse, Diego comenzó una breve investigación, no sólo sobre qué es la aplicación de Tinder exactamente, sino también sobre el código penal y el proceso que se sigue en las investigaciones policíacas.

El hecho de que un acto como el de que Julia había sido víctima permaneciera impune, le aterraba y le revolvía el estómago. No estaba muy seguro sobre qué quería hacer al respecto o a qué dirían las normas éticas de su profesión sobre hacerse, de cierta forma, cargo del asunto penal de una paciente. Sólo sabía que estaba indignado, que quería saber un poco más de toda esta situación y que probablemente, con un poco más de esfuerzo, Julia habría logrado encarcelar al culpable.

Estuvo leyendo y tomando notas durante un par de horas. Incluso, se permitió por un momento ojear los detalles del código ético sobre esta situación. No había mucho de qué preocuparse, pero esas horas le permitieron reflexionar un poco al respecto. ¿Qué hace un psicólogo preocupado por encarcelar al delincuente que llevó a una mujer a ser su paciente?, a fin de cuentas, Carmen tenía razón: ese no era su lugar. Suspiró hondo, se sentía un poco abatido.

Echó un último vistazo a sus notas, haciendo una breve lectura a lo que había considerado los puntos más importantes, dejó anotados los enlaces a las páginas más útiles y se fue a la cama. Ahí Carmen lo esperaba, entre el sueño y la consciencia. Él la besó, con cariño, con intenciones de que no fuera solamente un beso. Ella sonrió y, olvidando cualquier pequeño disgusto anterior, le siguió poco a poco el juego.

15. LA SOSPECHA

Julia despertó tras tres repiques del sonido de su despertador. Se desperezó, se tomó un momento para revisar su celular, y luego fue hasta donde estaba durmiendo Juan para despertarlo. A diferencia de otros días, en esta ocasión su amigo se levantó sin mucho problema de la cama, con un entusiasmo extraño y no muy característico de él por las mañanas. Esto, a Julia, le llamó la atención.

Desayunaron, se prepararon, y de camino al trabajo, en medio de la leve bulla de la radio, Juan comenta:

- He decidido que hoy hablo con ella. Nos vamos a divorciar. Yo he estado mirando apartamentos para mudarme pronto. Creo que es mejor que ella se quede con la casa de los dos.
- Con razón hoy te has levantado con mejor cara que otros días. - Le respondió Julia.
- Anoche estuve meditándolo, y creo que es lo mejor. No quiero volver para seguir escondiéndome, porque sé que no voy a poder serle fiel. Simplemente no quiero.
- Me parece justo que te des cuenta. Tan justo para ti como para ella.
- Sí, tienes razón. Entonces, ¿te parece algo bueno?
- Sí, sí. Sólo que ¿dónde estás buscando apartamento?
- Alguno cerca de la oficina, ¿por qué?
- No lo sé, es que ese es un tema complicado. La cuestión de precio, calidad y todo eso. No sé si te gustaría recibir ayuda con eso
- Julia, ¿me estás ofreciendo ayuda para buscar un apartamento? coño, esa terapia está funcionando. - Añadió él en tono jocoso.
- Si, un poco. Lo que quiero decir es que tal vez quieras una segunda opinión, en todo caso, yo podría dártela si la quisieras, ¿sabes?
- O sea que me quieres ayudar. - Dijo él en tono orgulloso.

- Mira, mejor haz tu vaina tú solo. - Respondió ella con su típico tono seco y áspero.

- ¡No, no! Tampoco es para tanto, yo sólo estoy sorprendido y no me puedes juzgar por estarlo. Es algo muy amable de tu parte.

- Es una tontería.

- Acepto tu ayuda para buscar apartamento, Julia. Gracias por ofrecerte.

- No es nada, no es nada. - Terminó diciendo ella en medio de una sonrisa.

"Tal vez la terapia si estaba funcionando para algo" pensaba Julia. Directamente aún no había podido curar su vaginismo, pero podía notar que se sentía mejor, que estaba bien hablar con alguien sobre sus cosas, y que eso podía ser liberador. De plano, había considerado la idea de ayudar a Juan porque ella había pasado por la tediosa búsqueda de un apartamento anteriormente, reconocía que era una actividad agobiante, y sabía que si se realiza a solas resulta más estresante.

Sí, tal vez era un poco más de empatía o interés porque él no la pasara tan mal como ella en su momento, al menos un poco más del que podía percibir antes. Veía a Juan como un compañero, y una persona con la que realmente le agradaba poder estar. Además, cuando el apartamento que buscas no es el tuyo, resulta un poco menos difícil, por lo que, ayudarlo no sería demasiado problema para ella.

Al llegar a la oficina, Julia abrió una pestaña más de la habitual en su buscador de internet: una página de búsqueda de apartamentos en venta. Podía adelantar un poco de la cuestión de la mudanza antes de iniciar con sus labores del día, así al menos podía comenzar a mirar las opciones con antelación.

Justo en ese momento, una compañera de trabajo de la oficina pasó justo frente a la computadora de Julia y, al ver la pantalla, comentó, para sus adentros "así de poca tolerancia tiene que ya quiere echarlo de su casa". el comentario fue lo suficientemente alto como para que Julia pudiera escucharlo claramente.

No dijo nada, pero se quedó pensando en el comentario. Primero que todo: ¿cómo el chisme de que Juan se estaba quedando con ella se había dado a conocer? y segundo ¿de verdad esa era la imagen que ella daba a sus compañeros?. La primera pregunta tenía una respuesta sencilla, pues lo más probable es que alguien se haya dado cuenta de que ambos habían estado llegando y yéndose juntos muy a menudo, o también puede que Juan se lo haya dicho a alguien pensando que no lo contaría. Esto no le preocupaba demasiado.

Lo que si la mantuvo reflexionando durante un tiempo, fue el hecho de que al verla buscando apartamentos lo primero que pensara es que quería echar a su amigo de la casa, y no consideró que tal vez sólo quería ayudarlo a conseguir algo mejor para él o su esposa. Parecía que la opción más a la mano con la que contaba ella era que Julia lo estuviera haciendo con malas intenciones.

Eso reflejaba muy bien lo que pensaba ella y, probablemente, sus compañeros de trabajo, respecto a Julia. Darse cuenta de esto no la ponía necesariamente triste o molesta, pero la hacía sentir un poco avergonzada. Nunca antes se había detenido a considerar qué pensaban sobre ella las personas con las que compartía casi la mitad de su vida, y es que realmente no le importaba demasiado.

Pero claro, ahora no queda duda respecto a la mala imagen que tienen sus compañeros de ella, y eso es solo suponiendo a partir de un comentario que se supone ella no debía hacer escuchado. Probablemente el resto de las voces y los comentarios fueran peores, o incluso aún más explícitos.

Ella nunca había sido una persona muy amiguera, mucho

menos con las personas de su trabajo. La realidad es que ella pensaba en que no iba al trabajo para hacer amigos, sino que iba a trabajar, y que las personas que compartían el trabajo con ella no tenían por qué cumplir ningún otro papel en su vida. Y no es que ahora los quisiera como amigos, es sólo que quedar cara a cara con la verdadera percepción que tienen los otros de ella le ha sabido muy mal.

Trató de no darle muchas vueltas a la situación, y simplemente trató de distraerse viendo la página de apartamentos. Concluyó que no podía hacer nada para solucionarlo en ese momento, porque era algo que llevaba años construyendo sin darse cuenta, y no podía cambiarse de un momento a otro. Decidió simplemente tomarlo en cuenta para el futuro y, tal vez, comentarlo posteriormente con su terapeuta.

Diego lleva cuarenta minutos estacionado frente a la puerta de la universidad de su hijo. Había quedado con él en buscarlo para ir a cenar cuando terminara las clases. Justo cuando ya había llegado, el chico le escribió un mensaje para avisarle que se había complicado resolviendo un examen y que tardaría un poco más de lo esperado. La universidad estaba a una hora y media de casa de Diego conduciendo, así que permanecer esperando parecía la mejor opción.

Era un día caluroso, y aunque el carro tuviera aire acondicionado, el ardiente sol mantenía el parabrisas caliente al tacto. Tenía la radio encendida, sonaba el programa de noticias de la tarde, con los mismos cuatro conductores de siempre. Diego tenía alrededor de ocho años escuchando la misma estación a la misma hora. Escuchar al menos un trozo del programa a diario era parte intransferible de su día. También por eso no le había molestado demasiado esperar a su hijo dentro del carro.

Luego de unos minutos, vio en la distancia a su hijo acercándose con otro muchacho. Venían riendo. A Diego le vino de gusto verlo pasándola bien, sobre todo luego de un examen. Probablemente le había salido todo bien y por eso venía de tan buen humor.

Al llegar hasta la puerta del carro, aún entre risas, Tomás presentó a su amigo con su papá. Se estrecharon la mano con simpatía, intercambiaron unas cuantas palabras sobre el calor que hacía, el examen que ambos acababan de presentar y sobre las clases. Tomás entró al carro de su padre y se despidió de su amigo, quien lo despidió diciendo: "Bueno, Tato, nos vemos el lunes".

A Diego le llamó la atención el nombre por el que su amigo lo había llamado, nunca había escuchado que alguien llamara así a Tomás. Tras cerrar la puerta, el silencio reinó dentro del carro. Por supuesto, como que el padre estaba distraído, y el hijo nunca tenía intención de hablar, ninguno intercambiaba una sola palabra.

- ¿Te llaman Tato? - Preguntó Diego en medio del agobiante silencio.
- En la universidad, algunos amigos.
- Ah. ¿De dónde salió?
- A uno de mis amigos se le ocurrió como un diminutivo de mi nombre.
- ¿Y desde cuando te llaman así?
- Desde que tenía unos cuantos meses en la Universidad. ¿Por qué?
- No, por nada, sólo me resultó curioso. Nunca había escuchado que te dijeran así.
- Nunca me habías visto con alguno de mis amigos.
- Y tú nunca me lo habías comentado.
- No me pareció importante.

De nuevo volvió el silencio. La noche anterior, en su breve investigación sobre el caso de Julia, echó una ligera ojeada a su informe de consulta. Tenía una nota que decía que el hombre que había abusado de ella tenía "Tato" como su nombre de usuario en Tinder. El nombre escrito en tinta azul sobre la hoja rayada permanecía iluminada en su consciencia.

Primero se alarmó muchísimo con esta imagen. Para intentar tranquilizarse, pensó que era probable que estuviera confundiendo el nombre escrito en sus notas. Tal vez no decía Tato, tal vez pensaba que lo decía por haber escuchado al amigo de su hijo llamarlo así y mezcló la información. E incluso, pensó, que aunque si dijera "Tato" este era un sobrenombre medianamente común. "Tatos" habían muchos en la ciudad, o al menos, más de dos.

- ¿A dónde quieres ir a comer? - Preguntó el padre, que aún permanecía pálido.
- Vamos a ese restaurante de hamburguesas al que fuimos la vez pasada.
- Está bien.
- ¿Y después me dejas en casa de un amigo? Quedé con él hoy.
- Sí, claro, no hay problema.

Llegaron al lugar y, como siempre, el silencio imperaba en la mesa. Tomás revisaba su celular mientras esperaba a que le trajeran su pedido. Diego permanecía pensando sobre aquello del nombre. Estaba esforzándose por no tomarlo en serio. Consideraba que la idea de pensar que su hijo había sido el culpable era lo suficientemente tormentosa como para pensarla sin razón, así que se esforzaba por intentar apartarlo. No podía.

Lo que empezó siendo un día feliz para el doctor por haber logrado quedar con su hijo finalmente, estaba derivando en unas ganas inmensas de correr a corroborar en su libreta cual era el nombre del violador de su paciente. Cada segundo que pasaba en medio del silencio, y teniendo a su hijo en frente, sólo se moría más de la ansiedad por la sola incertidumbre ante un asunto como ése.

- Papá. ¿Y tú cómo estás? - Preguntó el chico en medio de la comida, sorprendido por el aspecto de su padre.
- Bien. - Respondió él, tajante.
- ¿Sí? ¿Todo bien?
- Todo bien. Y tú, ¿todo bien?
- Sí, todo bien. Aunque un poco triste.
- ¿Por qué?
- Tu eres psicólogo, ¿no?
- Oye, todo parece indicar que sí.
- Bueno. Lo que pasa es que estaba saliendo con una muchacha y las cosas estaban saliendo bien pero, luego se enteró de algunas cosas y me pidió tiempo. Hasta ahora aún no quiere volver conmigo.
- ¿De qué cosas se enteró? - Preguntó él muy sorprendido.
- Bueno, de que de vez en cuando estaba viendo a otras.
- ¿Otras?
- Si, papá, otras….
- ¿Cuantas otras?
- Un par, pero nada muy serio.
- Ya…
- Y bueno, la cosa es que ella si me gusta y la pasaba bien con ella, estoy triste porque no quiere darme otra oportunidad y no sé qué hacer.
- Bueno…. no sé qué decirte. - Le dijo su padre un poco desorientado. Lo cierto es que la presencia de esta conducta tan inusual en su hijo mientras él estaba pensando en la posibilidad de que fuera un abusador lo dejaba fuera de sitio.
- Pues tu eres el psicólogo, no sé, dime qué puedo hacer.
- Bueno, Tomás, a ver, es que no es sencillo… Pero, vamos a ver, si te gustaba y estabas con ella, ¿por qué buscaste a otras?
- No sé. Tenía ganas. Estaban ahí. Igual no sentía nada por ninguna de ellas, era sólo sexo.
- Entiendo. - Dijo mientras desviaba la mirada a otro lado.
- ¡Papá!, pero dime algo sobre esto. Se supone que eres el psicólogo.
- No lo sé, Tomás. Es que nunca me hablas, ni siquiera me

habías contado nada sobre ninguna muchacha y de repente quieres hablarme solo porque te interesa mi consejo. Juzga por ti mismo por qué me pongo así con estas cosas.

- Bueno papá, a ver, tampoco es para que te pongas así. No te preguntaba nada sobre esto y ya.

- Tomás. Mejor termina de comer y nos vamos para dejarte en casa de tu amigo.

Su hijo sólo soltó un suspiro muy parecido a un gruñido. Tras terminar lo poco que le quedaba en el plato, se levantó de la mesa para ir al baño. Encima del mantel quedó su celular olvidado. Diego ahora no sólo se encontraba increíblemente ansioso por el asunto del nombre, también estaba molesto. Era real, su hijo no le tenía ningún tipo de afecto, y no le interesaba en lo más mínimo su padre. Fuera por las razones que fueran, la conversación era una prueba de ello.

En medio de sus pensamientos, comenzaron a llegar notificaciones al celular, que vibraba sin parar encima de la mesa. La pantalla se iluminó y dejó ver las aplicaciones de donde provenían las notificaciones. A Diego le bastó con desviar un poco la mirada para poder mirarlo: un par de mensajes del WhatsApp, un correo y una notificación de una aplicación con el símbolo de una flama colorada, Tinder.

Diego abrió los ojos como platos y se mantuvo unos segundos sin poder respirar. ¿Era demasiada casualidad que a su hijo le llamaran Tato y que fuera usuario de Tinder? se preguntó, pero durante los primeros momentos no fue capaz de responderse. Consideró el hecho de que la mayoría de las personas de su edad probablemente utilizaban esta red, así que esto podría no significar nada en realidad. Aun así, no estaba seguro de si esta idea era producto de su temor a que su hijo fuera el culpable, o si realmente era algo relevante.

Estaba aterrado en el asiento. aún quería poder confirmar que realmente el nombre que tenía anotado en la libreta era "Tato", pero cada segundo sentía menos confianza de quién era su hijo, por lo que confirmar este hecho no lo hacía cambiar demasiado de opinión. Soltó un suspiro profundo y apoyó su mejilla derecha en la palma de su mano, manteniendo la mirada fija en el fondo del restaurante.

Un par de minutos después, Tomás volvió a la mesa, tomó su celular y, siquiera sin sentarse, preguntó a su padre: "¿nos vamos?", quien le respondió agitando levemente la cabeza. En su camino hasta el carro, y como de costumbre, ninguno dijo una sola palabra.

Cuando ya llevaban unos cuantos minutos sobre la autopista, el chico comenzó a explicar la dirección a donde su padre debía llevarlo. Diego sólo siguió instrucciones sin responder nada. Luego de unos treinta minutos conduciendo, ya habían llegado a su destino, donde se despidieron con un sencillo "adiós".

16. SORPRESAS

- Supongo que me ofreciste ayudarme con lo del apartamento sólo porque quieres que hoy te dé como nunca lo he hecho. - Le dijo Juan a Julia en tono de broma.
- No tengo que hacerte favores para eso, puedo ganarlo yo misma. - Le respondió ella con su mirada seductora.

Acababan de salir de la oficina e iban camino al apartamento de ella en el auto. Julia había alcanzado a mirar algunos posibles apartamentos para que él pudiera mudarse. Consiguió precios accesibles en buenas zonas que pintaban muy bien. Había anotado los teléfonos para posteriormente llamar y poder cuadrar una cita.

Esa noche estarían juntos, Juan sería su primer hombre de la noche, y ambos tenían muchas ganas de que llegara el momento. Desde que habían cruzado la puerta de salida del edificio de la empresa habían estado con sus jueguitos y bromas pícaras, dejando entrever lo que vendría después. Era divertido, a Julia le parecía que esas cosas eran como reducir el sexo a un simple juego de niños, y eso podía estar muy bien.

Llegaron al apartamento y, casi sin haber cerrado la puerta de entrada tras ellos, corrieron hasta la habitación y se desnudaron el uno al otro en un momento. Comenzaron a besarse como si murieran de hambre, como si las ganas que tuvieran fueran realmente una sed que los mataba poco a poco. Y las manos de Juan a la cabeza de Julia, y las manos de Julia a la cadera de Juan. "Y cuando me mude, ¿qué?" preguntó él en medio del beso. "Cuando te mudes pues vamos a coger allá" le dijo ella tratando de responder tan rápido como pudiera, para así poder volver a besarlo tan pronto como sus palabras se lo permitieran. Él soltó una pequeña carcajada ahogada en la boca de ella, pues le hacía gracia verla tan desesperada.

Se tiraron en la cama, Julia lo acostó boca arriba y se colocó encima de él sin poder dejar de besarlo. Las manos de Juan cubrieron por completo los senos de ella, como si intentara ocultarlos o hacerlos desaparecer. Las acarició con cuidado, esforzándose al máximo por evitar hacerle daño. Sólo quería sentirla. Ella apoyó sus manos en a los lados de Juan, y comenzó a descender con cuidado hacia su pecho, para que pudieran sentirse más cerca.

Al verse desprotegidas, las manos masculinas comenzaron a arrastrarse con cuidado hasta sus nalgas. Pellizcó una con sutileza, y luego le dio un suave apretón. Continuaron besándose, como si no hubiera nada más que pudieran hacer en el mundo.

Cansado de no tener el control en lo que pasaba, Juan hizo una movida estratégica para volver a estar él por encima. Le tomó las manos, se las colocó detrás de la cabeza, y comenzó a recorrer con su boca el paso del brazo izquierdo hasta las clavículas, y de ahí hasta sus pechos. Acercó su mano hasta la entrepierna de Julia, y la notó húmeda y cálida.

Comenzó a recorrer su sexo con sus dedos, intentando sentirla por completo. Con un trabajo de tacto bien practicado anteriormente, logró llegar hasta su clítoris, el cual comenzó a acariciar en forma circular. Tras unos cuantos toques las caderas femeninas comenzaron a moverse, y la espalda, a arquearse. Julia sentía un increíble placer con todo lo que él estaba haciendo. Era una plenitud que hacía tiempo no podía sentir.

Juan alejó sus labios de su pecho, y comenzó a deslizarlos con cuidado hasta su sexo. Ella soltó un suave gemido de placer, dejándole saber a él lo mucho que le gustaba lo que estaba haciendo. Sin embargo, no hacía falta ningún tipo de confirmación de su parte, él podía sentir con sus labios lo mucho que la estaba complaciendo, pues su cuerpo de igual forma se lo demostraba. Estaba increíblemente húmeda, como hacía mucho no lo estaba. Julia permanecía con los ojos cerrados, esforzándose por sólo percibir lo que pasaba entre sus piernas. Juan acercó la punta de sus dedos hasta su carne tibia, un poco debajo de donde sus labios besaban y, con cuidado, comenzó a acariciarla. Ella se estremecía.

Comenzó a mover su mano hacia abajo, con cuidado, y con tan sólo la punta de sus dedos, inició una serie de movimientos circulares alrededor de la vagina, que cada vez se ponía más y más húmeda. Mientras tanto, los labios no dejaban de besar su clítoris, y ella no dejaba de disfrutar.

Sin aviso, sin premeditación, Juan acercó su dedo índice hasta la entrada de la vagina y, con una delicadeza sin precedentes, se permitió hundir un poco la yema de sus dedos en su interior caliente. Con la sorpresa de que, a diferencia de todas las veces anteriores, pudo sentir como su piel húmeda le iba abriendo, poco a poco, el paso para dejarlo entrar.

Julia dejó de moverse, de gemir, de respirar. Se quedó sorprendida y sin habla para lo que acababa de pasar. De nuevo, luego de tanto tiempo, podía sentir como su vagina no se tensaba ante la posibilidad ser penetrada, y daba paso para recibir lo que tanto le gustaba: placer. Juan levantó la mirada sorprendido, estaba sonrojado por la emoción, pero no sabía qué hacer o decir, sólo permaneció moviendo la punta de su dedo en su interior.

A pesar de todo, sentía como la vagina igualmente permanecía tensa, pero no lo suficiente como para no permitirle la entrada. Estaba un poco apretada, como si apenas fuera la primera vez de ella. Al ver que ella no reaccionaba ni hacía nada, le dijo: "Julia, ¿estás sintiendo esto?".

No hubo respuesta. Segundos después de terminar la frase, comenzaron a brotar lágrimas de los ojos de ella, por borbotones, como una fuente, indetenible. Él se apartó, sorprendido por lo que estaba mirando. Ella se cubrió la cara con las manos, avergonzada. A pesar del llanto, mantenía una sonrisa quieta en la cara.

Julia no sabía que sentía, pero sabía que era bueno. No tenía palabras, no quería hacer nada más, y llevaba desde que se pudo sentir penetrada de nuevo aguantando las ganas de llorar, cargando el nudo en la garganta. Tal vez era demasiado lo que tenía guardado, tal vez su única opción viable ante una cosa como esta era llorar.

Juan, que aún estaba sorprendido por lo que acababa de ver, se tendió a su lado y la abrazó con fuerza, lo cual mitigó el ruido del llanto, pero no detuvo las lágrimas. "Llora, supongo que lo necesitas" le dijo él en un tono dulce.

≈ ≈ ≈ ≈

Judith escucha que llaman a la puerta, y al asomarse por la mirilla confirma que es Diego, su ex esposo quien espera afuera. Ella suspira con pereza y le abre la puerta.

- Hola, ¿qué pasa? - Le pregunta ella con voz tajante.
- Nada, sólo quiero venir a hablar contigo un momento.
- ¿Sobre qué?
- Sobre Tomás, ¿puedo pasar?
- Si…. claro, entra. Ve a la sala, ya te alcanzo.

Diego pasó con cuidado hasta la sala y se sentó en uno de los asientos. Hacía tan sólo unos minutos había dejado a su hijo en casa de su amigo. Había conducido a toda velocidad para llegar a casa de su ex esposa a una hora prudente antes de que ella saliera a trabajar.

- Muy bien, cuéntame. - Dijo Judith mientras entraba a la sala sosteniendo un vaso pleno de agua con hielo. - Te traje agua porque ahora mismo no tengo nada más que ofrecerte.
- Tranquila, igual seré breve. Sólo quería preguntarte cómo ves a Tomás.

- ¿Cómo va con qué?
- Con todo, no lo sé. ¿Crees que está haciendo las cosas bien?
- Pues en la Universidad no le está yendo muy bien, pero en general creo que le va bien, ¿a qué viene tu pregunta?

El padre quería asegurarse de que su madre no supiera nada al respecto, y aún más, de que no lo estuviera encubriendo. Aún no podía estar seguro de nada, pero pensó que el mejor lugar para acudir era la casa del que ahora era un sospechoso. Aún había algunas cosas que mirar.

- No, por nada, sólo quiero saber cómo le está yendo. Ya sabes, como casi nunca nos vemos. - Explicó él como excusa.
- ¿Pero no acabas de verlo hace un momento?
- Sí, pero apenas hablamos. Ya sabes más o menos cómo es.
- Que raro, ayer me dijo que tenía ganas de verte.
- ¿Sí? Tal vez te lo dijo porque me quería pedir un consejo hoy.
- ¿Y se lo diste?, ¿qué quería preguntarte?
- Algo sobre una muchacha.
- Ah, Mariana me imagino.
- No sé, no me dijo nombres.
- ¿Por eso viniste hoy?
- No, no, nada que ver. Oye, ¿sabes por qué Tomás ya no está usando el carro?
- Dice que le fastidia conducir en la ciudad.
- Sí, sí, eso me dijo. ¿Y sabes si está todo bien con el carro?
- Pues él dice que sí, cada cierto tiempo lo enciende a ver cómo está todo.
- Ya, ya, que bueno. ¿Y tú qué piensas de que después de tanto pedirnos un carro, de repente ya no lo quiera usar?
- No pienso nada, Diego, no entiendo qué quieres decir con eso. - Respondió ella furiosa.
- No quiero decir nada, sólo me parece extraño y ya.
- En algo malo estás pensando Diego, y no entiendo qué intentas. - Dijo mientras se levantaba de su asiento de golpe.

- Nada, nada. Déjalo así, no intento decir nada.
- Muy bien. ¿Tienes algo más que decir?
- No, por ahora nada.
- Bueno, pues si puedes ve saliendo, en un rato ya tengo que salir.

Diego se levantó del mueble y cuando comenzó a caminar por el pasillo hasta la puerta de entrada, sonó el teléfono de la casa. Judith se dio media vuelta y corrió a atenderlo. "La puerta está abierta. Ciérrala al salir" le dijo en la distancia. Pero él tuvo una mejor idea.

Giró sobre sus pies, tomó unas llaves colgaban tras la puerta de entrada, atravesó el salón, y llegó hasta la cocina en búsqueda de la puerta de la cochera de la casa. Abrió la puerta con sigilo, encendió la luz y se encontró con el carro de su hijo y el de su esposa estacionados en un espacio pequeño y sucio. Suspiró profundo, se acercó hasta la puerta del auto de su hijo y abrió la puerta del piloto.

La luz interior se encendió de inmediato. Miró con atención el asiento, el volante, el suelo, y no alcanzó a ver nada extraño. Se inclinó dentro para mirar el asiento del copiloto y de nuevo, se veía todo en orden. Se levantó, se echó para atrás y se acercó a una de las puertas traseras para abrirla. En medio del asiento de color beige habían ligeras marcas de color café, de diferentes tamaños, y con una tonalidad muy suave. Diego se quedó pálido.

Carmen había tenido razón: es extraño que Tomás no quiera utilizar el carro ahora. Lo que Carmen ni nadie podía imaginarse es que probablemente no quería sacar el auto de casa porque habían rastros de sangre en el asiento trasero, donde llevó de emergencia al hospital a una mujer de la que había abusado sexualmente. Era demasiado para procesar en un sólo momento.

Podían ser manchas, cualquier tipo de manchas, pero habían sido demasiadas coincidencias con la historia que su paciente le había contado, demasiadas como para dejarlo de lado. Incluso aunque se estuviera equivocando y el nombre que ella le había dicho no fuera "Tato", igualmente su hijo era sospechoso de algo.

No sabía qué hacer. Se encontraba frente a una posible prueba de algo que podría ser terrible, y que sería resultado de su propio hijo. Sabía que pronto la madre de su hijo se daría cuenta de que él estaba en la cochera, sabía que si Tomás se enteraba de que él estaba ahí podría hacer algo en su defensa, y Diego no quería que su hijo pudiera defenderse.

Con las manos temblorosas y un nudo en la garganta, tomó su celular y llamó a la policía de la ciudad. Escuchó el teléfono descolgarse al otro lado de la línea y sin pensarlo demasiado, dijo: "Creo que tengo a un sospechoso de un caso de violación… creo que tengo las pruebas… creo que conozco a la víctima". La operadora solicitó su dirección y avisó que pronto irían a hablar con él al respecto.

Trancó la llamada y permaneció mirando su celular en medio de su mano. Acababa de inculpar a su hijo. De repente se puso frío, pensó que tal vez todo eso podría ser resultado de su obsesión por hacer justicia por el caso de Julia. Tal vez todo era una locura y acababa de terminar por completo con lo poco que le quedaba de su hijo. Temía cientos de cosas al mismo tiempo.

Judith abrió la puerta de la cochera de golpe, con una mirada severa. Al mirar la cara pálida de su ex marido frente al auto con las puertas abiertas, olvidó todos los improperios que estaba pensando en decirle por entrometido. Diego la miró con mucho pesar, y con el poco hilo de voz que le quedaba, dijo "Creo que tenemos que hablar sobre Tomás".

17. LA VIDA CONTINÚA

Tras la llegada de la policía a la cochera de la casa de Judith, bastó la mirada detallada de un perito para confirmar lo que los padres de Tomás más se temían: la mancha sobre el asiento trasero era sangre. Minutos después, y sin tener idea sobre lo que ocurría, el hijo y ahora sospechoso de un caso de abuso sexual estaba volviendo a casa, para encontrarse con un escuadrón de policía que tenía todas las intenciones de hablar con él. El muchacho se quedó pálido, y tras unos leves intentos de expresar cualquier mentira, no pudo hacer más que confesar.

Había drogado y abusado de Julia una noche en su casa, y luego de ver que no se despertaba a pesar de sus intentos por hacerla reaccionar, y de ver la sangre brotar por entre sus piernas, la cargó hasta el asiento trasero del auto y la llevó a emergencias. Luego, volvió a casa a desechar las sábanas manchadas y a intentar quitar las manchas del asiento, pero esas nunca salieron del todo.

Entre lágrimas, entre sollozos, Tomás se derribó en el suelo, alegando que nunca imaginó que llegaría tan lejos, y mucho menos pensó que la barra de acero con la que la penetró podría haberle hecho tanto daño. Dijo que sólo era un juego, que nunca quiso hacerle daño, y que siempre se esforzó porque no se saliera de control.

Judith se ahogó en llanto al escuchar las palabras de su hijo. Salió de la cochera siendo incapaz de detener el llanto y la desesperación, simplemente no podía creer que su propio hijo estuviera aceptando haber hecho lo que hizo. Diego, por su lado, también se alejó de la escena, sólo por una profunda vergüenza de saber que aquél era el Tomás al que había criado como mejor sabía. Se sentía avergonzado de su hijo, pero también de él mismo.

A Tomás se lo llevaron detenido, y su madre lo acompañó hasta allá. Diego había preferido ir a casa, donde Carmen, quien estaba enterada de lo que había sucedido lo esperaba con una sonrisa desdibujada y un té de manzanilla. Al verla, simplemente no pudo controlar más todas las cosas que sentía y se tiró en sus brazos para permitirse llorar de rabia, dolor y pena. "Soy el peor padre del mundo, soy el peor padre del mundo" repetía en medio del llanto.

Tomás pasó esa noche detenido en la estación. Inicialmente, la confesión podría ser suficiente para condenarlo, pero era necesario que la víctima confirmara que ese era su violador. El chico durmió como pudo en una celda, mientras su madre estaba fuera en la sala de recepción, sin saber a donde ir ni qué hacer a partir de ahora, que parecía que tendría un hijo condenado a prisión.

- Hola, Julia, disculpa la hora en la que te estoy llamando. - Decía Diego Graffé con voz seria al otro lado del teléfono. - Es que es probable que la policía se comunique contigo pronto, y quería decírtelo para que no te tomara por sorpresa.

Eran las ocho de la mañana, Julia aún se sentía agotada y sorprendida por lo que había ocurrido anoche, pero la sorpresiva llamada de su psicólogo la había hecho espabilar.

- ¿Conmigo por qué? - Respondió ella, preocupada.
- Parece que hay un sospechoso para tu caso, quieren que vayas a la estación a confirmar y atar algunos cabos.
- No lo entiendo. ¿Por qué usted sabe eso? además, la policía ya había dejado de lado mi caso.
- Si, pero ha aparecido de último momento un sospechoso. Yo lo he hecho llegar.
- Sí, pero…. ya hablaremos sobre todo esto tu y yo cuando vengas a la estación. Intenta tomarlo con calma.

Julia colgó el teléfono y de inmediato percibió que tenía las manos heladas. No comprendía nada de lo que estaba pasando, y el hecho de que su psicólogo fuera quien le daba esta noticia, la dejaba totalmente desconcertada. A pesar del miedo, de la sorpresa, de la curiosidad, el sentimiento que más resaltaba era el de la emoción. Parecía que por fin habría justicia para su caso, luego de haber sido ignorado por tanto tiempo.

Se levantó rápido de su asiento en la oficina, y antes de poder solicitar un permiso de unas cuantas horas para poder ir a cumplir las demandas de la policía y a avisar a Juan sobre lo que estaba pasando, su teléfono comenzó a sonar nuevamente. La llamada duró apenas unos segundos, y al trancar ya iba de salida.

Al llegar a la estación, se encontró con una versión de su terapeuta que nunca antes había visto. Diego Graffé lucía agotado y mustio en el asiento de espera. Sin embargo, al verla atravesar la puerta corrió a abrazarla emocionado. "Lo lamento todo, pero en realidad estoy contento de que se esté haciendo justicia" le dijo con un par de lágrimas que intentaban brotar de sus ojos. Antes de poder responderle, un agente la llevó hasta una de las salas de la estación.

Se encontró, al otro lado del vidrio, con el rostro del culpable. No tenía ni la más mínima duda, eran los ojos, las manos y la cabeza encargados de haberla hecho sufrir un tormento tan largo como agobiante. Julia simplemente asintió su cabeza con severidad, mientras Tomás la veía con ojos de perro regañado. Veía la imagen demacrada del culpable siendo llevado por la policía, y con esto floreció dentro de ella la más profunda satisfacción.

En la sala de espera, volvió a encontrarse de nuevo con su psicólogo, quien la tomó de las manos y la apartó de los otros para poder explicarle todo lo que había pasado, con tanta calma y tacto como sólo un psicólogo sabía hacer. Julia lo miraba con ojos incrédulos, sorprendida por todo lo que estaba escuchando. Diego respondió a todas sus preguntas y comentarios, intentando aminorar la vergüenza que sentía.

Al terminar, ella simplemente lo abrazó y le agradeció por haberle ayudado a que se hiciera justicia con su caso. Aún sorprendida por lo que había significado para él, como padre y psicólogo, el hecho de haber velado por la justicia y el bienestar de ella.

Le preguntó si toda esta situación afectaría el desarrollo de las terapias. Diego, luego de haberlo meditado durante la noche, le explicó que lo mejor era que solicitara cita con un psicólogo nuevo, pues lo mejor tanto para ella como para la carrera de él, era que cortaran su vínculo como psicólogo y paciente. A ella la decisión no le había alegrado del todo, pero le resultó completamente razonable.

De salida, Julia llamó a la recepcionista de la clínica psicológica a la que asistía, para solicitar una cita nueva con otro psicólogo del centro, y que de ser posible, se la organizaran para esta misma semana, pues no quería perder la continuidad de la terapia. Apenas tras haber colgado, llamó al teléfono de la oficina de Juan, pidiéndole que solicitara un permiso en la oficina para salir a tomarse algo con ella, pues tenían mucho de qué hablar.

Fin

OTROS LIBROS:

Puta a los 40+

Luego de pasar 47 años bajo la sombra de un modelo de vida conservador que le obligaba a mantener celibato, y tras comenzar una vida nueva lejos de la presión familiar, Elena Casañas decide que es momento de comenzar a hacer las cosas diferentes. En el camino, se encuentra con nuevas formas de disfrutar de sí misma, forma lazos personales imborrables y descubre todas las cosas buenas que el sexo había estado preparando para ella. Pero, también se da cuenta de los choques personales que puede generar un cambio de paradigma, mientras todavía aprende a lidiar con lo que significa su nueva vida.

Ese Pervertido y Yo

Un extraño, para nada de su tipo, hace que Esther viva las experiencias más eróticas de su vida. Lo extraño es, que ese extraño, no es tan extraño como ella pensaba.

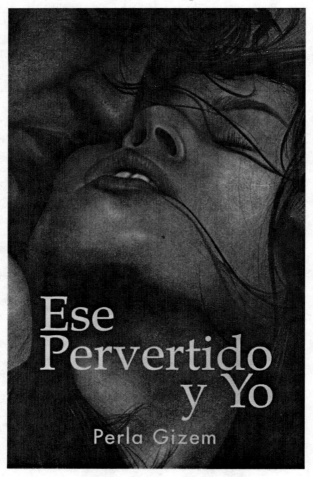

BELLAKA PLUS

PERLA GIZEM

CPSIA information can be obtained
at www.ICGtesting.com
Printed in the USA
LVOW10s1615120418
573255LV00010B/471/P